Christian History

読むだけでわかる キリスト教の歴史

青木保憲

Aoki Yasunori

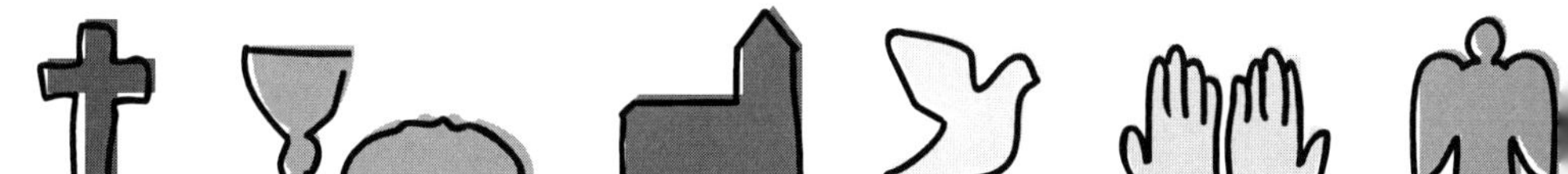

イーグレープ

推薦の辞

青木保憲先生の『読むだけでわかる キリスト教の歴史』の新しさは、福音主義の立場に立つ現代日本人としてキリスト教の歴史を、とりわけ我々が直接影響を受けているアメリカの福音主義の歴史を、ご自分の言葉でとてもわかりやすく書いておられるところだと思います。言うまでもなく翻訳ではなく、西欧のキリスト教の歴史を単になぞっているのでもありません。ですから、一文一々隅々まで納得させられる読書の喜びがあります。本書はアメリカの福音主義の政治と絡んだ歴史に至って佳境に入りますが、この部分を十分に扱わなければ我々日本の福音主義にたつキリスト者がキリスト教の歴史を学んだことにはならないでしょう。

私が青木保憲先生に出会ったのは、東京基督教大学で持たれた「キリスト教と政治研究会」（二〇一八年五月二七日）において、青木先生が「Evangelicals とは何か?～アメリカ福音派のアイデンティティと政治」という研究発表をしてくださった時でした。キリスト教と政治について客観的で自由に語り合う場を求めて始まった研究会ですが、いずれは我々を育ててくれたアメリカの福音主義に目を向けることになると覚悟していました。そこに、正にアメリカの福音主義教会をテーマに同志社大学に博士論文を提出され、『アメ

リカ福音派の歴史 聖書信仰にみるアメリカ人のアイデンティティ』(明石書店、二〇一二年)を上梓された青木先生を迎えることができたことは幸いでした。青木先生の発表は興味深くアカデミックで、参加者たちを自己省察に向かわせる力のあるものでした。

今回、友人の藤﨑秀雄氏(グレース宣教会代表牧師)から依頼を受けて、青木保憲先生の『読むだけでわかる キリスト教の歴史』を読ませていただきました。そして、この本は日本の福音主義教会に仕える研究者としての青木牧師ならではの一冊であると受け止めました。教会に仕える神学研究者であることは宗教改革者ジャン・カルヴァンの姿勢でもありました。また、歴史の面白さに導かれる楽しみを時に味わいました。例えば――

「歴史の奥深いところは、往々にしてこのような些細な出来事から大きな転換期を迎える」(一三五頁)

「『気を見て敏なる』行動が求められ、『信仰をもって大胆に踏み出す一歩』が必要」(一六四頁)

などのさりげなくキラリと光る指摘が心に残りました。

また、「『福音派』の功罪」をテーマとしたところで、「今後の課題」として書かれた一文はとても示唆的です。

「社会がリベラル化する中で、聖書に基づく福音主義信仰を堅持することは困難を覚えるようになりつつある。これは現代的な課題であり、それに対する明確な指標は未だに示されていない。だからこそ聖書に立ち返って、皆で知恵をしぼる必要がある」

（二四四頁）

末尾には、研究者であり牧師である青木先生のメッセージが込められています。

「なぜなら、私たちこそ『キリスト教の歴史』の最先端に位置している存在だからです。歴史を生み出す張本人です。その自覚と理解を持って、これからの時代を共に歩んでいきましょう」（二五〇頁）

青木先生の熱い説教を聴いた思いでこの本を読み終えました。

日本の福音主義教会に導かれた我々が、これからどう生きていくべきなのかを考えさせられる好著です。教会での学び会のテキストとしても用いられるでしょう。教会の目前の諸々の課題だけでなく、二千年の歴史を踏まえ、我々のルーツであるアメリカの福音主義の歴史にも向き合って、教会の将来を語り合えたらすばらしいのではないでしょうか。

加えて、この本のところどころには窓が開けられていて、教会史に関わる映画（DVD）、CDなどの紹介がなされています。また、ウイットのきいたコラムや、さらに学びたい人へ「これぞ」といった本の紹介があって、さらに次へと誘ってくる心憎い作りになっています。そして、この本を読んで本格的に青木先生の『アメリカ福音派の歴史』に進まれる方が出てくるだろうことも想像できます。

私は、青木保憲先生の『読むだけでわかる キリスト教の歴史』を心からお薦めします。

二〇二一年　八月

東京基督教大学　神学部長　　大和昌平

推薦の辞

「読むだけでわかる キリスト教の歴史」をお読みして、本当に心からの感動を覚えています。青木保憲先生が長い間構想を練って来られたと書いておられたことが結実したすばらしい内容になっております。

カトリックよりも古い東方教会の成り立ちから始めて、最近のトランプ現象までのことをこれほど簡潔にまとめられる方を私は知りません。小生自身も歴史や哲学の学びは大好きですが、これほど簡潔にまた正確にその本質を描いた記述は見たことがありません。これは中高生の歴史の学びから牧師養成のための神学校のテキストにまで幅広くお使いいただけるご本であると確信しました。小生自身も本当に多くのことを教えられました。

歴史の各部分に関しては、それぞれの専門分野の方々がいくらでも注文を付けて来るかもしれません。だからこそ、多くの学者さんたちは、このようなまとまった簡潔な概論を記す勇気を持てないと思います。しかし、青木先生は専門の学びを極めながら、同時に、誰にでもわかるように、驚くほど大胆に簡潔にそれぞれの時代をまとめてくださいました。そこでは哲学、神学の正確な洞察力も生かされています。長い年月をかけて吟味を重ねられたことを、惜しげもなく切り取って簡略化しておられることに感服いたしました。

私たちは歴史を語る際、それぞれ自分の立場を正当化できるような脚色をしてしまいがちです。それに対し、青木先生は最初に、「歴史とは神からの語りかけと、それを受け止めた人間との共同作業です」と書いておられます。その視点からまとめられているため、それぞれの時代に対する眼差しがとっても優しい視点となっています。同時に、私たちが所属する福音派に関しても批判的に見る余裕も感じさせられ、その中立的な視点に敬服いたしました。

二〇二一年八月

立川福音自由教会牧師　高橋　秀典

まえがき

ハリウッドのブロックバスター映画などで「構想十年以上！」という宣伝文句が流行った時代がありました。「それくらい練りに練って本作は作られています」と言いたいのだからきっと素晴らしい作品に違いない、と子どもの頃に胸を躍らせて映画館に向かったことを覚えています。しかし大人になり、その宣伝文句は、配給会社が決まらなかったり監督が突然交代したりして、スケジュールが遅れただけだと知り、がっかりというか、裏切られたような気持ちでいっぱいになったことを今でも覚えています。

本書『読むだけでわかるキリスト教の歴史』は、まさにこの轍を踏んでしまいました。きっかけは今から二十年以上前、私が神学生であった頃のことです。授業で「キリスト教史」を学んだことが原点です。やがて教務主任の万代栄嗣牧師（松山福音センター主任牧師）から集中講義を受ける機会に恵まれ、わずか十五コマで古代教会から現代のキリスト教会までを俯瞰するという体験をさせていただきました。本書の章立ては、その時の特別講義に基づいています。

やがて同志社大学大学院神学研究科に籍を置くこととなり、修士、博士課程合わせて六年間で、アメリカの宗教史を学ばせていただきました。森孝一氏（同志社大学名誉教授）

から、「歴史とは研究対象との距離が大切だ」「読者をいつも意識して物語るように」とのお言葉をいただき、アメリカの福音派研究で学を修めることができました。「森イズム」は、本書文体の根幹を成しています。「読むだけで分かる」という文言は、そう言うことを意識して冠しているつもりです。

それからさらに十年。本書の原稿は、年に数回ファイルを開けて書き足されるという過程を経て、東京オリンピック開催がかしましく議論されているコロナ禍の二〇二一年に、やっと全貌を明らかにすることができました。そう言った意味で、構想十年どころではない、倍以上の時間がかかってしまいました。ハリウッド映画も真っ青の裏話です。単に私が怠惰だっただけかもしれませんが……（笑）。

本書は読み手として、現在私が牧師として仕えているグレース宣教会の聖書学校（GMS）で教えさせていただく教会員を想定しています。つまり研究者、牧師、神学生のみならず、教会で奉仕しながら社会でも実直に働いているビジネスマン、家庭の主婦、そして社会に出る備えをしている学生の方々に対しても、「読むだけでわかる」通史を目指したつもりです。

果たして「タイトルに偽りなし」、と言って頂けるでしょうか？　それは本書を手に取ってくださった皆さんからの評価に委ねなければなりません。とはいえ、私にとって本書は、

「私の歴史観」の素直な吐露であり、研究者、牧師、「自称」映画評論家として、現時点における精一杯の信仰表明です。ぜひその辺りのユニークさを読み取っていただけると幸いです。

二〇二一年　八月

青木　保憲

目　次

序章　「歴史を学ぶ」こと

■「歴史を学ぶ」とは？

さて、みなさんは「歴史を学ぶ」と聞いて、どのようなイメージを持たれるでしょうか。ある人は、中学高校時代に年号暗記で苦しんだ思い出がよみがえってくるかもしれません。ある人は、舌を噛みそうな名前を何度もお風呂やトイレでくり返して、試験が終わったらすべて忘れてしまったという経験しか残っていないかもしれません。

一方、「歴史が大好き」という方がおられるのもまた事実であり、今なお歴史小説を買ってきては読んでいるという方も大勢おられることでしょう。どちらかと言うと、私も後者の人間です。特に私の場合、歴史を通して様々な人間の「からくり」を学ぶことに面白みを感じてきました。

ある事件が起こったことを本や授業で知ります。その時、私は考えるのです。それはなぜ起こったのか。その時、事件に関わりを持った人間たちは、どんな気持ちでどんな行動を取ったのか、等々……。

なぜ私がそう考えるかというと、そこには私たちと同じ肉体と心を持った人間のドラマが展開しているからです。その事件は、確かに今から数十年、数百年前のことかもしれない。でも、もしかしたら私たちの世界においても、同じことが起こるかもしれないという意味において、私たちと結びついているととらえることができるからです。

つまり私が言う「歴史を学ぶ」とは、単なる歴史的事実、年号の暗記をひたすらくり返すことではなくて、活躍した時代こそ違え、私たちと同じ人間が、生き動き考えた事柄の積み重ねを「自分のこと」としてリアリティを持ってとらえ直すということなのです。

■様々な「歴史観」

さて、歴史のとらえ方には様々なケースがあります。例えば東洋的な歴史観では、農耕民族として生き続けてきたという背景がありますので、時間のとらえ方が一年単位であり、四季の移り変わりが人間の心情の変化とリンクしています（もちろんそうでない東洋の歴史観もありますが…）。このような背景から生まれてくる歴史観として、「輪廻転生」の思想があります。これは、くり返しの法則を人間の一生になぞらえて、万物の命もまたくり返すととらえるのです。

この考え方は安定を生み出します。なぜなら、突発的な変化は起こり得ないことを前提とするからです。しかし一方で、新しい流れや出来事に対して、基本的にそれらを否定する方向に傾くこととなります。同じこと、決められた出来事のくり返しが永遠に続くととらえるこの考え方が、究極的に行き着く先は「無」の領域です。

一方、歴史は確かに物事のくり返しだが、それらが少しずつ進歩していき、螺旋状に成長発展していくと考える者がいました。ギリシアの哲学者たちがそれです。「万物は流転する」という有名な言葉も、ここから生まれてきたのです。

さらに、十八世紀頃から、物事にはある方向へと進ませようとする力と、その反対の力とのぶつかり合いから、第三の方向性が生まれ、それによって成長発展していくのだ、とする歴史観が生まれてきました。これを「弁証法」と言います。その第三の方向性にはある法則があり、それによってすべてのものがさらに次の段階へと進歩していくと考えたのです。これを政治的に応用して、新しい国家を創ろうとした人々が、共産主義を生み出していきました。

その他、ここでは紙面の都合で取り上げることはできませんが、世界には数多くの歴史のとらえ方＝「歴史観」が存在します。では、これから私たちが学ぼうとしている「キリスト教」には、どのような歴史観があるのでしょうか。

■キリスト教の「歴史観」

キリスト教には、聖書という正典があります。その歴史観は、次の言葉に集約できます。

・何事にも、始めと終わりがある。

この考え方は、聖書の最初から最後まで貫かれています。例えば、天地創造によってこの世界は誕生しました。そして忘れてはならないのは、物事を過去・現在・未来と区分する考え方、すなわち「時間」もまたこの神の手によって創造されたとするとらえ方です。そしてこの世界は、時間の経過と共にやがて終わりの時を迎えます。これは、かつて流行った「世界の崩壊」とか「ノストラダムスの大予言」のようなおどろおどろしいものではありません。むしろ始めに神によって計画を持って始められた事業が、その目的の達成をもって完成するというイメージです。

天地の創造者がおられ、その方の抱く計画に従って、目的を持って歴史は動いており、前進しているととらえるのです。この考え方の中に歴史的な出来事一つ一つを当てはめてみると、次のようなことが分かります。

・一つ一つの出来事に意味があり、その出来事が歴史という全体の中で生き動いている。
・たとえどんな小さな出来事、小さな存在であっても、そこに意味があり、責任が伴う。

聖書の思想には、「輪廻転生」も「万物流転」の思想もありません。ましてや「無」の領域など存在すべくも無いのです。

そしてもう一つ。これらの出来事や意味を、神は一体誰に対して語ろうとしているのかということです。キリスト教が誕生して約二千年が経ちました。それは日々の、そして年々の積み重ねであり、積み上がったものは膨大な量となっています。それを受け止め、そこから神が語ろうとする事柄を理解するのは、現代に生きている私たちです。

言い換えれば、それはクリスチャンであろうとなかろうと、この地上で生きている者に与えられた課題です。現代に生きる私たちに対し、神は過去からの積み上げを通して伝えたいことがあるということです。もちろん、その時代その時代において、神からの語りかけはありました。しかし同時に言えることは、その出来事から時間的な隔たりを持っている私たちだからこそ聞くことができる語りかけもあるということです。

そして、その語りかけをさらに絞り込んで受け止める時、それは私たち一人一人に対して、神が個人的に語りかけてくださっているということになります。ここに「キリスト教の歴史」を学ぶことの大切さがあります。

■キリスト信仰の本質

「キリスト教は宗教ではない」という言い方があります。ここで言いたいのは、「私たちが信じているのは、古色蒼然とした教え（人間が生み出したもの）ではない」ということです。そして「キリスト信仰」という表現を好んで用いることがあります。この場合、「キリスト信仰」とは、端的に次のように言うことができます。

・キリスト教を「歴史的な宗教」として受け止め、現在に適用すること。

つまりキリスト信仰とは、単に宗教の概念、例えば抽象的で私たち一般の人々が頭をひねっても全く理解できないような悟りの境地を信じたり、それを非現実的に体験したりすることを目指した宗教ではないということです。「歴史的宗教」とは、この世の中、現実の中で生き動き、成長発展してきた「事実」というものの積み重ねを認め、その中に意味があり、その意味を「今を生きている私たち」が受け止めることこそ大切であると信じることです。

多くの他宗教が、修行や瞑想によって我々の現実からはほど遠い感覚を身につけようとしています。しかしキリスト教は全く逆です。むしろ聖書の中に描かれている物語、そして聖書という書物そのものが、時間と空間の中で生まれ、育まれてきた「歴史」なのです。まとめると、次のようになります。

・歴史の中でかたちとなったものこそが聖書である。それを通してひもとかれる出来事の意義・目的を信じることが、キリスト信仰である。

そういった意味で、この世の中、そしてその積み重ねの歴史とは、神と人との共同作業であると言えるでしょう。神が人に対して語りかけ、そのメッセージを受け止めた人間の歩みが「歴史」として形を成しているととらえることができるのです。

先ほど申しましたように、全ての出来事には目的があり、意味するところがあります。しかし、では人間がそれらを一〇〇％受け止め続けてきたかと言えば、必ずしもそうではないのです。むしろある時代には「何でこんなことが」と思うような出来事が平気で行われ、それを学ぶ時、私たちは怒りすらこみ上げてくることがあります。それは失敗の歴史です。誤ってしまったと言わざるを得ない出来事の連続です。

しかしもう少し長い区切りで歴史を見ていく時、失敗のあとには必ず成功に向けての方向修正が成されているのです。このことが分かるのは、その時代から時間的に先を生きている人間の特権であると同時に義務でもあります。歴史の積み重ねから学ぶ、とでも申しましょうか。一年、二年という短い区分けでは見えてこないものが、百年、二百年という長さで見ていく時、はっきりとそこに「神の介在」と、それを受け止めた「人間の成せる業」とが浮き彫りになっていくのです。

■私たちの「今」から読み解く「歴史」

しかし、歴史は過去のものばかりではありません。時代を評価し、分析する作業は確かにその時代から少なくとも数十年は経たなければならないでしょう。しかし、先ほど申しましたように、歴史とは神からの語りかけとそれを受け止めた人間との共同作業です。その働きは、常に「今」というこの時点から解されるべきなのです。ですから次のように言うことができます。

・人がどうして歴史を学ぶのか。それは過去のある出来事の中に自分との共通項を見出すからである。

「かつて、その時代に生きた人々は神からのメッセージをこのように受け止めた。そしてこういう結果を招いた」このように後代に生きる私たちは解釈します。ここで大切なのは、その時代、その時代において、確かに神は語りかけておられる、ということを前提に考えることです。

その同じ神は、現代に生きる私たちにも同じように語りかけてくださいます。しかも、前時代の結果を一例として示しつつ、より具体性を持った語りかけをしてくださるのです。それを自分の人生に反映させ、神の計画の中にある「自分」として生きることは、大切な責務であると言えましょう。

そしてキリスト教史を学ぶことによって、他人の歴史を知るだけでなく、自分の（ルーツとしての）歴史を知るということもできるのです。

・私たちはキリスト教の歴史を学ぶことによって、「自分の在り方」を知ることができる。

これから二十二回に分けて、キリスト教の歴史を学んでいきます。古くはイエスが十字架にかかられ、復活し昇天するところから、現代の我々が生きている二十一世紀の教会の在り方まで、その範囲は多岐に渡ります。

しかし、常に自分との関わり、もしその場に自分がいたらどうしたかを考えながら読み進めてください。そうすれば、あなたは神からの語りかけを受け止め損なうということはないでしょう。

大丈夫。一緒にゆっくりと学んでいきましょう。

第一章　キリスト教史の大きな流れ（時代区分）

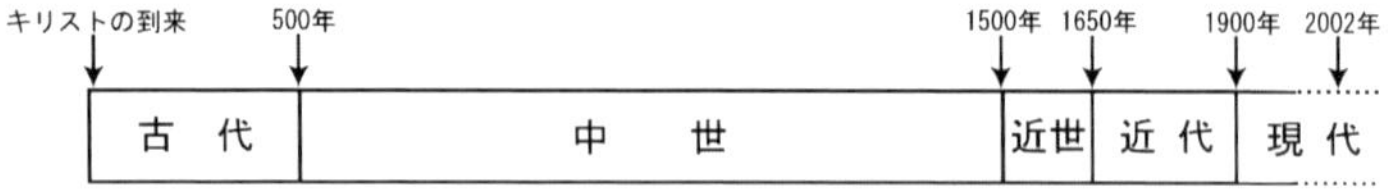

■歴史の大まかな時代区分

それでは早速、二千年間のキリスト教史の流れを大ざっぱに見ていきましょう。そのために必要なこととして、時代区分を行いたいと思います。本書で、私は次の五つの名称を用います。それらは私が勝手につけたものではなくて、大体、このような歴史研究をしている方々がある程度共通して使っている用語です。もちろん厳密な線引きはありませんし、この区分けに異議を唱える方もおられます。

しかし、本書においては、次のような区分で話を進めていきます。

①古代：イエス・キリストの到来から五〇〇年くらいまで
②中世：五〇〇年から一五〇〇年くらいまで
③近世：一五〇〇年から一六五〇年くらいまで
④近代：一六五〇年から一九〇〇年くらいまで
⑤現代：一九〇〇年から現在まで

この区分が、単に時間の流れを均等に五等分したものでないことをあらかじめおことわりしておきます。

例えば中世は千年も続くのに、近世はわずか百五十年しか設けてありません。これは時代区分の基準となる「ある変化」が、中世では千年間かけて起こりましたが、近世では百五十年で起こったということを意味しています。近代では二百五十年、そして現代は未だ明確に区分けできない状態にあります。これを行うことができるのは、もう少し先の歴史家でしょう。

■古代

古代は、イエス・キリストの到来から始まります。キリストの到来以前と以後で年号の名称（ＢＣとＡＤ）が分かれていることから、一般的にも理解できると思います。もちろん厳密に言えば、イエス・キリストが誕生した年はＢＣ四年頃になるであろうとのことです。しかし、それから続く二千年間を思えば、その誤差は微々たるものです。

古代は、さらに大きく二つに区分されます。第一に、イエスの弟子たちが教会を立ち上げ、ローマ帝国から迫害を受けつつも自分たちの勢力を拡大していった時代。そして第二に、キリスト教がローマ帝国の国教として認定され、キリスト教会の基盤が確立した時代です。

前者は、イエスの昇天後、彼の弟子たちがいわゆる「草の根運動」的にその教えを広めていった時代でした。一方後者は、迫害の中でも拡大しつつあったキリスト教の勢力が、ついにローマ皇帝コンスタンティヌスによって認知され、三一三年の「ミラノ勅令」が発布されるまでの時代です。いかにしてこの大逆転が起こったか、今後の展開を楽しみにしていてください。

■中世

中世は、ローマカトリックの時代と言っても過言ではありません。教会の在り方が次第に形成され、礼拝などの仕様が事細かに規定されていった時代です。そして教会の最高位にある教皇が、次第に勢力を増し続けていった時代でもあります。この流れは五〇〇年から一〇〇〇年頃まで続き、教皇の力は十字軍によって頂点を極めました。

しかし十字軍の失敗を契機に、次第に教皇の力は衰退していきます。また、教会に関する規定ができあがっていましたから、言い換えればそれだけ「形式化する」ということになります。この時代は、教職（今の牧師職）がお金によって売買されたり、賄賂によって任命が歪められたりした時代でもありました。

やがてイタリアでルネッサンスが起こり、その波にあいまって、ローマカトリックの在り方に疑義を差し挟む者が現れます。そしてその流れを大きな奔流として決定づけたのが、一五〇〇年代のドイツに活躍した一人の改革者（マルティン・ルター）であります。彼の登場と共に、中世は幕を閉じるのです。

さて、おもしろいことにこの時代に対する評価は二分しています。プロテスタントの学者たちは、この千年間を「暗黒の時代」と呼びます。これは、この時代のカトリックの在り方をよくないと見ているからです。しかし一方で、カトリックの学者たちは、「黄金の千年」と言います。つまり、単一のカトリック教会によって世界を普遍的に支配できた時代だったからです。もちろんこの言い分にも一理あります。それは、真面目に神の前に歩みたいとする人々によって形成された修道院であるとか、「神とは一体何か」について学術的に追究し、論理的思考を駆使してその課題を掘り下げていく天才たちを多く輩出したからです。

この評価の違いなどに着目する時、歴史を学ぶことの難しさと共におもしろさを実感できます。

■近世

時代区分の時に申し上げましたが、近世はわずか百五十年間しかありません。しかしこの百五十年間で起こった変化は、それこそ天と地がひっくり返るほどのものでした。そしてこれ程の変動を起こすことになるとは、当の本人は思っても見なかった、というところに歴史の妙味を感じます。

一五一七年十月三一日、ドイツのヴィッテンベルク城の扉に、一人の男が張り紙をします。これには九五箇条に渡って、現状のカトリック教会を糾弾する事柄がしたためられていました。この出来事を引き起こしたのが、あのマルティン・ルターです。彼の抗議（プロテスト）は、やがて各地に飛び火し、カトリックに対峙する一大勢力になっていきました。

彼が掲げたことをまとめると、二つに集約されます。

①「人は行いではなく信仰によって救われる」
②「イエス・キリストを信じる信仰は、聖書のみから与えられるものであって、教会の教えやしきたりがそれに加えられるものではない」

この提題は、カトリックの地位を根本から否定するものと受け止められました。そしてルターの賛同者とカトリック勢力との間に、争いが巻き起こりました。それは、政治と宗教の癒着に対する反乱という枠でくくるにはあまりにも多くの要素が含まれていました。やがてこの争いは、国家間の戦争となり、各国が信条とするものの違いによって対立を繰り返すようになっていくのでした。近世は、社会全体が渾然一体となって争いに没頭した時代でもあったのです。

■近代

近世を最も象徴的に表す戦争が「三十年戦争」でした。この悲惨な戦争が終結し、一六四八年にウェストファリア条約が締結され、国家間にある一定の規定が生まれました。そして、カトリックとプロテスタントが共存する社会を生み出しました。従来よりも許容範囲が拡がったと言えるでしょう。

規制よりも緩和の方向へ世の中が動いたことにより、次第に今まで当たり前であったものに対して、疑いの目を向ける傾向が生まれました。それは人間の持つ理性が台頭し、教会などが持っていた伝統やしきたりが次第に崩壊していくということを意味していました。

折しも自然科学が発達し、「人間」という存在に対する価値が次第に高まり始めた時代でした。この流れを決定づけたのが、一七八九年に起こった「フランス革命」です。これは、単に民衆が反乱を起こした、という域に留まらず、中世以来続いてきた教会と政治に対する問い直しと、新しい価値観の提示を意味していました。

平たく言えば、教会や信仰など、今までの時代に人間が背負ってきた厄介なモノをすべて振り捨てて、「人間」を信じて生きていけばよいという考えの台頭でした。これが「民主主義」というイデオロギーとして結実したのがフランス革命だったのです。

当時イギリスでは「産業革命」が起こっていました。これは、今までの人力から機械力への移行であり、とりもなおさず科学や技術革新による理性の時代の到来です。人間はこのまま理性と共に進歩していき、やがて成熟した存在になるであろうと考える、楽観的なシステムができ上がったのです。

■現代

しかし二十世紀に入り、人間は手痛いしっぺ返しを喰らうことになります。信仰よりも知性を重要視し、物質的に豊かになり、これからますます発展していくという青写真は、一九一四年の第一次世界大戦によってもろくも崩れ去ってしまいました。この戦争が人々に与えた衝撃は計り知れないものでした。というのは、本来、人間の生活を豊かにするために造られた機械が、あろうことか多くの人間の命を奪うという結果を招いたからです。

やがて一九一七年、ロシアで革命が起こり、人間は皆価値がありり平等でなければならないという旗印の下、共産主義国が誕生しました。これは、民主主義を究極までに推し進めた体制であると言えましょう。近世の大変革以来続いてきた「人間」に対する価値が、「ある形式」を得たと言ってもいいでしょう。

しかしご存じの通り、この共産主義は二十世紀の末に崩壊し、この体制を採っている国々は、現在、何らかの方向転換を余儀なくされています。この現実を我々は厳粛に受け止めなければなりません。そして一九三九年、第二次世界大戦が勃発し、世界は自らのしたことに恐怖するのでした。その後、次第に人間の存在そのものが原因となって世界が破滅するのではないかという危惧がささやかれるようになりました。その多くは地球温暖化や酸性雨の問題など、我々にとっては身近な問題となっています。

いよいよ二十一世紀……。ここから先は未知の領域です。二〇〇一年、アメリカで起こった「同時多発テロ」などを見るにつけ、「不安と混迷の時代」と銘打たれた現代は、まだその幕を下ろしていないことを実感します。また、二〇二〇年以来、全世界を騒がせている「新型コロナウィルス」の蔓延は、私たちの世界が人間の意図した区切り（国境・主義主張など）によって分けられるものではなく、地球規模で相互につながっていることを示す皮肉な一例となっています。

このような状況の中で、キリスト信仰を持っていくということの意義、そして私たちに対する神からの語りかけ、これらを丁寧に聞き、受け止めることが求められていると言えるでしょう。

さて、以上ざっと二千年間を駆け足で見てきました。非常に大ざっぱな見方だったので、不満な点もおありでしょうが、これから詳しく学んでいきますので、ご安心ください。

次回から、いよいよ古代の時代におけるキリスト教の歴史を共に学んでいきます。

第二章　初代教会の発展

前回はキリスト教史二千年間の大ざっぱな区分けを行い、その時代の特徴を簡単にまとめてみました。さて今回からは、いよいよ二千年前のイエス・キリストの時代へ共に向かいましょう。

■「使徒の働き」における教会

初代教会の歴史を繙《ひもと》くに当たって、まず押さえておかなければならないのは聖書に収録されている『使徒の働き』です。イエス・キリストの十字架と復活が「福音書」において語られました。そして、その後の時代について語っている書簡が『使徒の働き』です。初代教会という場合、それはイエスの昇天（ＡＤ三〇年頃）から紀元後一〇〇年までの七十年間を指しています。ちなみに、ある学者はこだわりを持って「原始教会」という用語を使います。私たちは「初代教会」で統一して進めていきましょう。

さて、『使徒の働き』を見て参りますと、のっけから驚くべき変化に遭遇します。それは、イエスの弟子たちの変貌ぶりです。福音書での弟子たちは、師匠であるイエスの語ることが分からず、失敗ばかり犯していました。挙げ句の果てに、イエスが十字架にかけられると分かった時、裏切る者や保身に走る者たちばかり…。これでは先が思いやられると思っていましたら、『使徒の働き』に登場する彼らは、何と大胆にイエスのことを宣べ伝えていくのです。

この変貌ぶりを私たちに納得させる記事が二章に出てきます。それは、彼らが「聖霊を受けた」ということです。弟子たちは強められ、そして人々にイエスが復活したメシアであるということを伝えていくのです。その先陣を切ったのがペテロでした。

しかし早合点してもらっては困るのですが、これによって「キリスト教」という別の宗教がユダヤ教の中からポンと生まれ出たわけではないのです。まずもって押さえておきたいことは、次のことです。

・イエスの弟子たちの意識としては、ユダヤ教の信仰を、「キリストの復活」によって強めた。

つまり彼らはあくまでもユダヤ教の枠内で、共同体的な信仰の群を形成した（と思っていた）のです。

しかし、事態は思わぬ方向へと転がっていきました。それは、ユダヤ教徒たちからの迫害が思いの外強かったということです。それは七章におけるステパノの殉教でピークに達し、続く八章である展開を見ます。それはイエスの復活を信じている彼らが、地方に追いやられ、しかも散り散りにされてしまったということです。これは、共同体を形成していた彼らにとっては不幸なことでした。しかし別の意味で、この出来事は「神の粋な計らい」があったと言うこともできます。

■弟子たちの追放と「クリスチャン」の誕生

イエスの弟子たちは地方に散らされました。しかしこれは同時に、地方にいるユダヤ人たちへイエスの復活の使信が伝わっていったということを表しているのです。当時は、外国に多くのユダヤ人たちが住んでいました。彼らのことを「ディアスポラ」と言います。

イエスの弟子たちが一所に留まり、そこにいつまでも滞在し続けたならば、ユダヤの一地方における熱狂的な一派、ということで片づけられてしまったかもしれません。しかし、彼らが地方に出ていったことで、さらに多くの人々がイエスの復活の使信を聞くことができたのです。

やがてこの使信は「福音」として、驚くべき展開を見せます。従来ならユダヤ教の枠内で留まっていたこの教えが、熱狂的なイエスの弟子たちによって、あろうことか異邦人社会にまで浸透していったのです。『使徒の働き』によると、十章でローマの隊長であるコルネリオがこの使信を受け入れています。また、エチオピア女王の宦官も受け入れ、ついに外国へ向けての伝道団が組織される程に成長していくのです。

この成長と発展のために一役買ったのが、パウロとバルナバでした。特にパウロは、ユダヤ人としてステパノの虐殺の際には人々の着物の番をしていたほどの人物で、完全にユダヤ教徒でした。そしてイエスをメシアと信奉する者たちを片っ端から牢に投げ入れ、迫害の急先鋒として活躍していました。しかしそんな彼がイエスに出会い、今度はその使信を人々に伝えるまでに変わってしまったのです。やがて彼らは人々から軽蔑の意味を込めてこう呼ばれました。「キリスト者（使徒十一章二六節）」と。ここに歴史上、はじめて「キリスト者（クリスチャン）」と呼ばれる人々が誕生したのです。やがて彼らは「キリスト教」を形成し、ユダヤ教との訣別の時を迎えるのでした。

キリスト者の働きは凄まじいものでした。特にパウロは、エルサレム会議にて異邦人伝道の道を完全に開くという働きを成したのです。彼はアンテオケの教会を拠点として、三回の伝道旅行に赴きました。そしてついにその働きは地中海まで拡げられ、ローマ帝国にまで及んだのでした。

以上、『使徒の働き』を参考にして、初代教会の活動をざっと眺めてきました。これまでの流れから言えることは次のことです。

・キリスト教は迫害されることによって広められ、ユダヤ教徒から排斥されることによって形を整えていった。

やがてその勢いはユダヤ教徒のみならず、異邦人にまで及び、成長発展していきました。迫害とか抵抗勢力というものは、通常好ましからざる存在です。しかし、そのようなものによって押し出されるように世界に拡がっていったキリスト教は、やはり「ユニークな宗教」と言うことができましょう。ここにも神の取り計らいを見ると主張する研究者もいます。

初代教会を形成した人々は、主にイエスの直弟子であり、彼らは「使徒」と呼ばれました。そして形成された組織の中で実際的な宣教活動を遂行していったのです。一方、弟子たち以外にも生身のイエスに出会っていた者は数多くいました。そんな彼らはイエスの生き証人として、教会の監督・長老・執事となっていきました。

■初代教会の姿

しかし、ここでもまた早合点してはならないのは、彼らが形成した初代教会とは、現代を生きる私たちが「教会」と聞いてイメージするものとはほど遠いものであったということです。

まず、彼らは文字通り「共同生活」をしていました。共に食し、共に寝て、祈りと交わりを行っていたのです。ですから、「礼拝」といっても、もしかしたらイエスの生き証人である一人が、やおら立ち上がって、「みんな！　オラはイエス様を見ただよ。イエス様っていうのはなあ……」というような昔話が始められ、それを若い者たちが「ふむふむ」と聞き入っていたのかもしれません。

　そして彼らが持っている「聖書」についても同じことが言えます。まず、彼らは現代の私たちのように新約聖書を持っていません。ですから、彼らが言う「聖書」とは旧約聖書のことであり、しかも多くは詩篇などを交読する時に、まるで宝物のように取り出されたであろうということです。「教会」についても、我々が思うような三角屋根に鐘が付いているイメージは十七世紀頃からのことであって、その当時は普通の家で集会を行っていました。また、今でこそ「聖餐式」はキリスト教会の重要な礼典となっていますが、当時の聖餐はどうも食事と交わりを中心としたむしろ「愛餐」とも言うべきものであったようです。

■すべてを分け合う初代教会の人々

　このように、単なる言葉の上だけで物事を理解しようとすると、そこは非常に難しい時の隔たりがあることを思わざるを得ません。

■キリスト教誕生の七つの要因

初代教会は、前述のような雰囲気で誕生しました。そしてこの出来事は、単なる偶然の産物ではないのです。従来、他の民族との融合を拒む排他的なユダヤ教の信仰は、唯一まことなる神を信じるという「強さ」を持っていました。しかしこの「強さ」は、他の民族に信仰を伝えるという「浸透性」を持っていませんでした。ユダヤ人と他民族との間に壁があったと言ってもよいでしょう。この壁は、乗り越えることができないと思われていました。

しかし、ローマ帝国がその支配権を拡大したことにより、信仰的な「強さ」はそのままに、他の多くの民族に浸透させる土壌が生まれたのでした。この時期に、初代教会は誕生したのです。

「強さ」と「浸透性」という二つの要素が、絶妙のバランスを持って融合される機会を得ました。キリスト教は、多くの人々との接触によって拡大していくことが可能となったのです。それは、エペソ人への手紙一章十節で語られている事柄の成就でした。

「時が満ちて計画が実行に移され、天にあるものも地にあるものも、一切のものが、キリストにあって、一つに集められることです」

つまり、この時期でなければ絶対に起こり得ないであろうという状況が、絶妙のタイミングで得られたということです。このような結果が演出されるには、多くの要素が結び合わされなければなりませんでした。それは以下の七点に絞られます。

①ローマ帝国の支配によって、平和が訪れたこと

帝国の支配が強かったということは、言い換えればその枠内においては平和であったということです。つまりローマの意向を無視しなければ、基本的には平和な状態が続くということです。そのような落ち着いた雰囲気は、それまでの歴史的喧騒状況からは考えられないことでした。

②ローマ帝国が、宗教に関して寛容政策を取っていたこと

ローマ帝国は、政治的な配慮から多くの被支配民族が持っていた宗教に関しては寛容な態度で臨みました。それは、今まで君臨してきた国々が犯した失敗を繰り返さないように、という知恵でした。今まで支配を試みた国々は、宗教もろとも支配下に置こうとしたため、民族の激しい抵抗にあって失敗していたのです。同じ轍を踏まないように、とローマ帝国は考えたのでした。

この政策は、キリスト教にとって有利に働きました。今までなら、野のものとも山のものとも分からぬ新興宗教（キリスト教）が入り込む余地など無かったからです。しかしローマ帝国の支配下にあっては、それが可能となり、それほど抵抗無く浸透させていくことができたのです。

③他宗教に較べて、キリスト教が言葉によって明確に定義されていたこと

ローマ帝国に流入していた他の宗教は、どれも幻想的な体験や非現実的な教えを中心に据えていました。一方キリスト教はというと、「言葉」によって明確に定義されていたため、その内容が明らかでわかりやすさを備えていました。同じようなタイプの宗教が併存していなかったということは、キリスト教にとっては独自性を発揮するチャンスであったと言うことができるでしょう。

④ローマ帝国が法治国家であり、パウロがローマの市民権を持っていたこと

これは、パウロという人物がなぜ用いられたかということに通じていくのですが、ローマ帝国が法治国家として安定性を保っていたため、権利を持つ者が保護されるのは当然のことでした。その最たるものが「市民権」でした。これを持っている者は、ローマの市民としてのあらゆる特権を享受することができました。パウロはこの権利を大いに活用しました。そのためキリスト教の浸透はさらに加速されていったのです。

⑤ローマ帝国が独特の階級制を持っていて、人種・民族を越えたつながりが容易だったこと

ローマ帝国の特徴として、厳格な階級制が挙げられます。たとえ同じ民族・人種であったとしても、階級が違えば全く別の生活をしなければなりませんでした。このことは、言い換えれば同じ階級の者同士は交流が盛んであり、民族や人種を越えたつながりが比較的容易であったと言うことができるのです。

例えば、ある一階級にキリスト教が流入すると、他の多くの民族・人種への浸透が可能であったということになります。当時、ある一つの宗教や思想が民族の壁を越えることなどあり得ないと思われていましたから、キリスト教の浸透は、ローマ帝国支配という特定の状況でのみ起こり得た「奇跡」であると言うこともできるでしょう。

⑥交通の便が発達していた

「全ての道はローマに通ず」と言いますが、当時は商業の発展に連れて、多くの人々がローマに出入りしていました。ですから道路は整備され、交通の便は驚異的によくなっていたのです。人の往来が盛んであるということは、それだけ福音が人々によって多方向に持ち運ばれていくということを意味します。このようにして、人々は知らず知らずのうちに福音を伝える使者として用いられていたのです。

⑦共通言語が存在し、新約聖書がその言語で書かれたこと

当時の言語は、ローマ帝国の支配によって統一され、「コイネーギリシア語」という共通言語が用いられていました。広大な支配下において、共通言語が統一されて用いられたというのは、非常に稀なケースです。しかし、交通の便の問題からも分かるように、商売がスムースに進行するためには、違う民族や人種であっても、お互いに理解できる言語がなければなりません。このような必要性に迫られる形で、ギリシア語が用いられていたのです。ローマ帝国という巨大帝国が樹立されたからこそ成し得た言語の統一でした。

キリスト教は言葉を重んじます。ということは、人々が理解できる言葉で伝播していかなければ意味が無いということになります。当時の社会では、当然ギリシア語です。残念ながら、イエスや弟子たちはギリシア語を話してはいませんでした（アラム語であったろうと言われています）。ここでまたパウロが用いられたのです。パウロはローマの市民権を持ち、ユダヤ教にも通じていましたから、ギリシア語とアラム語とを自在に用いて（翻訳しながら？）、語り綴ることができたのです。彼の働きによって、キリスト教は確実にローマ市民の中に、そしてローマ帝国全体に浸透していったのです。

さて、これら七つの要因がすべて同時に満たされていた時代、地域、制度が一世紀のローマだったということは、驚くべきことです。この絶妙なタイミングを神が用いられたと言

えますし、逆に言えば、神がこのような状況を作りだして、キリスト教の伝播のために道備えをしたとも言うことができるでしょう。それほど「またとない瞬間」がそこに生み出されていたのです。

迫害によって地方に散らされ、その広がりの中で異邦人に福音が伝えられ、ついに「こしかない」という絶好の機会に、キリスト教は当時世界を支配していたローマ帝国内に入り込んでいきました。やがてこの国を根底から支える国教として認定されるのですが、それまでにはさらに過酷な道程を通らなければなりませんでした。これについては、次回学んでいきましょう。

第三章　迫害の歴史

前回、ローマ帝国の中にキリスト教が浸透していく、その時代的背景を見ていきました。神の絶妙なタイミングとしか言い様のないこの時期に、キリスト教は驚くべき速さでローマ帝国内に入り込むことができたのです。

しかしその道のりは決して楽なものではありませんでした。「出る杭は打たれる」とも言われます。キリスト教が目立った存在として、センセーショナルに人々の目に映った時以来、迫害の歴史は始まったのです。

■内外からの迫害

キリスト教徒に対する迫害は、大きく二つに分けられます。それは内と外からの迫害であると言えましょう。

「内からの迫害」とは、ユダヤ教徒からのものでした。ユダヤ教徒はキリスト教徒（まだ当時はユダヤ教徒の一派であった）に対して、羨望と嫌悪の入り混じった感情を持っていました。なぜなら、イエスを信奉している彼らは、律法の本質を鋭く突きながら、しかも律法を平気で越えていくのです。ユダヤ教徒にとって律法は絶対です。と同時に厄介なものでもあるのです。だから、決められたことを決められた通りにこなすことで満足感を抱いていました。しかしイエスの教えは、彼らのその満足感に対して鋭い批判を投げかけました。彼の教えを遵守し、さらにその教えを人々に伝えていくキリスト教徒に対し、ユダヤ教徒は羨ましさと同時に疎ましさを抱いてしまうのは当然のことでした。

　さらにイエスの死に方が彼らには絶対に受け入れられないものでした。むしろこのことの方が彼らユダヤ教徒にとってはつまずきであったようです。それは次のことです。

・木にかけられ死ぬ者は、呪われた者である。そんな者をどうして救い主などと言えようか。

　つまりキリスト教徒は、律法を破っている不届き者と映ってしまったのです。

　次いで「外からの迫害」とは、具体的にはローマ帝国からのものでありました。そしてそれはある誤解に基づいたものだったのです。

　ローマ帝国が本格的にキリスト教徒に対する迫害をし始めたのは、六四年の皇帝ネロの

おすすめビデオ DVD

『グラディエーター（2000年　アメリカ）』

『エイリアン』のリドリー・スコットが、ラッセル・クロウを主演に迎えて生み出したローマ時代の剣闘士の復讐物語。名作『スパルタカス』のイメージを独自に膨らませている。どんな逆境の中でも信念と勇気を失わない主人公マクシムスの姿は、観る者の心も熱くさせる。第73回アカデミー賞で作品賞含む5部門を独占。

時代です。ネロについては様々な評価があります。芸術的に秀でた皇帝だったという説があり、同時に暴虐と残忍性に満ちていたという説もあります。そして彼についてはこんなエピソードがあります。

ローマの街並みを見て、彼はこう言ったというのです。「この街をもう一度焼き払って、もっとすごい都をつくってみたい……」そしてローマに大火事が起こったのです。ローマ市民は、ネロに対して疑いの目を向けました。彼はそのような状況をまずいと思ったのでしょう。保身に走り始め、ついにこの大火事の首謀者をキリスト教徒たちであると断罪し、彼らに対する迫害を強めていきました。

この頃、多くのクリスチャンたちが殺されました。しかもネロの持っている残忍性のゆえに、その殺され方はむごいものであったと言われています。

■ローマ帝国からの迫害

しかし、そもそもローマ帝国内では、キリスト教に対して素直に向き合えない根本的な要因がありました。それは次のことです。

・イエスはローマ帝国への反逆のかどで逮捕され、処刑された罪人である。

イエスは十字架にかかって死んだのであり、その最終的な処刑執行人はローマ領ユダヤの総督ピラトでした。つまりイエスは、彼らにとって罪人の一人だったというわけです。ローマ帝国にとって「反逆の徒を神として拝む」ということには抵抗があったのです。

さらにもう一つ。

・クリスチャンたちは、皇帝礼拝を拒否した。

ローマ帝国建国当初から、皇帝は神と等しい存在でありました。当時はそれほど厳しくないにせよ皇帝礼拝の習慣がありました。しかし、クリスチャンたちはこの皇帝礼拝を拒否して、自分たちの神のみを拝んでいたのです。このことは皇帝にとっては好ましからざることでした。直接的ではないにせよ、ローマ帝国への造反の可能性があったからです。

当時のローマ市民は、見方によっては非常に信仰熱心でありました。しかしそれはユダヤ教的な唯一まことの神を信じるというスタンスではなくて、どんな神様（と言われるもの）であってもたくさん拝むというものでした。そういった視点に立つと、クリスチャンは「この神だけ。あとは絶対に拝まない」という姿勢であったため、「無神論者」ということになってしまうのです。当時の信仰観の相違によって、こんなおもしろい（？）逆転現象が起こっていたのです。

また当時、クリスチャンは兵役を拒否していました。これは「ローマ帝国のために命を捧げない。皇帝のために生きない」という意志表示でした。この兵役は、ローマ支配に対する服従の証でもありましたので、クリスチャンは皇帝に対して反抗しているととらえられていたのです。

さらに、クリスチャンたちが行っていた様々な習慣がありました。早朝に集まり、聖餐(愛餐)の交わりを行い、お互いを「兄弟姉妹」と呼び合っていました。そして再びキリストがやってくるという「再臨思想」を持っていました。これらすべてのことをローマ帝国は次のようにとらえました。

「クリスチャンという奴らは、朝早く集まって、人間の血と肉を喰らっているそうだ」
「クリスチャンという奴らは、自分たちを『兄弟姉妹』と呼びながら、近親相姦をしている」
「クリスチャンという奴らは、この世界には終わりがあると言っているらしい。危険な破壊論者だ」

このような誤解を一番つらく思っていたのは、無論クリスチャン自身でした。だから彼らは今までの所業をなるべく人の目に見えないところへ持っていこうと考えました。そして彼らはカタコンベという地下墓地に集まって、人目を忍んで集会を持つようにしたのです。しかし人々は、さらなる誤解・曲解をし始めました。「クリスチャンは死人が眠る墓地に集まって、いかがわしい行為を行っている」という噂が流れ始めたのです。

皇帝ネロが大火事の責任をクリスチャンに負わせようとした時、これらの誤解と状況が重なったため、ローマ市内に激しい迫害が起こりました。パウロやペテロもこの時の迫害で命を落としたと言われています。当時の迫害は、ローマ市内という局地的なものであり、さらに皇帝の意向によってある一定の期間そのような状態が続くと、次の皇帝の時は寛容な政策が盛り返してくることがしばしばでした。そして、そのような迫害にもかかわらず、彼らの生き方にあこがれる人々は迫害下にあってむしろ増えていったのです」。

■大迫害の時代がやってきたー

・二〇〇年から三〇〇年にかけて迫害が起こった。しかしクリスチャンの数はさらに増え続けていった。

■大迫害の時代

二五〇年以降、今までの迫害とは異なり、かつてない規模で未曾有の大迫害が起こりました。デキウス帝という皇帝が「一世紀時代のローマに戻したい」という願いを持ちました。かつての強いローマ、文化的にも優れたものを輩出したローマを目指して、改革を推し進めようとしたのです。その時、最も目障りな存在がクリスチャンだったのです。彼の目にクリスチャンは、自分の政策を、そしてローマの発展を妨げる「最大の障害」と映りました。そして未だかつてない迫害を敢行したのでした。

まず手始めに、ローマの神（すなわち皇帝）を拝んだ者としての証明書を発行しました。そしてこの証明書がなければローマ市民として認めないと決め、クリスチャンを締め出し始めたのです。そしてクリスチャンであるという理由で、投獄、拷問、虐殺が平気で行われるようになっていったのです。

ここで興味深い現象が起こってきました。それはこのような迫害の中、クリスチャンたちの対応が三つに分かれたということです。まずは、当然信仰を貫いて拷問や虐殺で命を失っていく者です。次いでその全く反対で、信仰を捨ててしまった者がいます。そして一番厄介なのは、皇帝礼拝をしていないけれど、賄賂やコネで証明書を手に入れて生き延びた者が出てきたことです。

やがて三一三年の「ミラノ勅令」でキリスト教が公認されました。そして気骨があり、信仰を貫き通した人たちは、教会の組織化や再建に全力を注いだことは言うまでもありません。しかし、適当に証明書を入手して生き延びた人々の中には、再びキリスト教の共同体の中に帰りたいという願いを持つ者が多く現れてきたのです。

■キリスト教公認後の問題

これは結構シビアな問題です。なぜなら、自分の夫は、父は、母は、息子は、ローマの迫害によって殺されたり障害を負ってしまったのです。そうまでして信仰を守り通したという人たちがいた一方で、苦しい時は逃げていて、いざキリスト教が公認されると、いそいそと帰って来た者たちがいたのですから。そんな彼らを、信仰を守り通した者たちは、簡単に受け入れて愛することなどできないと考えました。そして、ここで非常におもしろい解決策が出てくるのです。それは次のことでした。

・帰って来た者が洗礼を受けていないなら不問。しかし洗礼を受けていたら、「償い」をしてもらう。

洗礼を分岐点として判断しようとする傾向は、洗礼の意味をさらに重要なものとしました。同時にこのことは、「クリスチャンになってからの罪はどうなるのか」という別の問題にも答える結果となりました。洗礼によってクリスチャンと公的にみなされる明確な線引きを与えたと同時に、それ以後に犯した罪に対して、教会がどのように対応するべきかというモデルを示したということです。

具体的には、受洗しつつも皇帝礼拝をした者、または賄賂などで証書を手に入れた者に対して、聖餐式に与れない期間を設け、それによって罪の償いをしてもらう、ということです。「聖餐停止期間」を設けるということは、人間の具体的な行いによって罪を償うことが可能であるという一つの事例となりました。そしてもっと大切なのは、次のことを世に知らしめたことです。

・教会からの罰を受けることによって、罪は清められるものである。

この考え方は、後の教会が「免罪符」を発布したり、煉獄《れんごく》という思想を生み出して人々を統制していくきっかけともなりました。

■コンスタンティヌス帝のずる賢さ

三一三年に「ミラノ勅令」を出したコンスタンティヌス帝は、この教会決定を受け止めて、ある行動に出ました。それは、自分がクリスチャンとなる（すなわち洗礼を受ける）ことを死ぬ間際まで回避し続けることです。洗礼によって自分のそれ以前の罪がすべてクリアされるのであれば、死ぬ直前まで洗礼を受けずにやりたいことをやって、それから洗礼を受けて死のうと考えたというのです。実際に彼のように考え、死の直前に洗礼を受けた者が当時は少なからずいたと言われています。

キリスト教解禁後のこれら一連の動きを見るにつけ、人間はどこまで行っても抜け道を探して賢く立ち振る舞おうとする罪深い生き物だということが分かります。

これは歴史的に見て、決してこの時代だけのことではありません。現代においても、同じような「ずる賢さ」は存在していますし、迫害の時にはあれほど純粋であった信仰が、公認されることによって次第に緩くなり堕落していく様は、現代のキリスト教界においても同じであると言えます。そういった意味で、次のことが言えるでしょう。

・キリスト教は、迫害の時は成長して信仰の純粋性が保たれていたが、国教となり安定性を手に入れた時から、次第に変容（堕落）していった。

このことは、現代を生きる私たちにとっても、決して他人事ではないということを肝に銘じておきましょう。

第四章　古代教会の確立

■新たな問題

イエスの昇天後、初代教会が形成されました。その中心的指導者は、イエスの直弟子であったり、パウロなどに代表される異邦人伝道者たちでした。形成当初、初代教会は非常に安定していました。それは、彼らの精神的支柱となる「キリストの復活」についての生き証人が活躍していたからです。また、『使徒の働き』の二章において、人々に聖霊の傾注がありました。そして大胆にイエスの御業を語ることができるようになったのです。その言葉を聞き、初代教会を形成するために集まって来た人々は、キリストの生き証人の存在ゆえに安心感を覚え、教会に権威を感じたのです。

やがて年月が流れ、一世紀後半になると今までの教会に不安な事態が起こってきました。それは次の事柄です。

・キリストの生き証人たちが高齢になり、次々と亡くなり始めた。

今までは、イエスについて知りたい、分かりたいと思った時、直弟子である人物に聞き

■熱弁を振るう使徒後教父

に行けばよかったのです。しかし教会が年月を経ていくうちに、直弟子の数は必然的に減る一方です。そしてキリストに直接出会ったことのない世代が次第に増えてきました。そのような状況の中で、人々は「このままではいけない」という意識を持ちました。そしてキリストの生き証人たちの言葉、証言を書き記しておこうという動きが起こってきたのです。同時に、今まで使徒たちが書き記したもの（教会への手紙、何気ない時に書かれた文章）の価値が急に上がり始めました。そして、特に人々にとって急務だったのが、イエス・キリストの生涯や語られた言葉をきちんとした形にまとめるという作業でした。こうして書かれたものが「福音書」です。もちろん、ここに「神の介在」があったと言うことができます。

さらに、使徒たちが死んでいく中で、彼らの跡を継ぐ教会の指導者たちが必要となってきました。そして初代教会は、次の時代を担うリーダーを選出しました。この時に選ばれた人たちのことを「使徒後教父（しとごきょうふ）」と呼びます。初代教会が使徒たちの時代であるとするなら、使徒後教父たちから古代教会の時代に突入したと言うことができます。古代教会は、初代教会よりも組織化が進みました。それは、集団が単なる寄り合い的な同好会ではなく、一つの「教会」として、時代を乗り越えて進むための備えを始めたということです。組織化が進んだことには、使徒たちの死以外にもいくつかの要因が挙げられます。

それは大別すれば、次の三つにまとめることができます。

■古代教会の形成要因

①再臨がすぐにやって来ると信じていたが、なかなかやって来ないという現実があった

イエスの言葉を聞いた弟子たちは、すぐにでも主が再びやって来て、この世が終わる（再臨が起こる）という感覚を抱きました。そこで彼らは「世の終わり」の備えをし、気持ちを高めていたのです。しかしなかなか主は再臨されず、周囲では使徒たちが永遠の眠りにつき始めていました。

イエスの昇天とともに、一気に世の終わりがやって来るなら、今まで築き上げてきたものやこれからの将来設計を考えることなど無意味でしょう。しかし再臨が遅れるということは、教会をきちんと維持し、成長発展させていく必要性が生じてきたということです。

彼らが現実に目を向け、築きつつあるものを形に残そうと努力したことは、二千年経った現在の私たちが教会へ通い、信仰を持っているという現状を見る時、非常に大きな意味を持っていたと言うことができるでしょう。

②ローマ帝国からの迫害・誤解に対して、説明する必要があった

前回も触れたように、ローマ帝国の迫害には皇帝の政治的な意向とキリスト教に対する誤解の二側面があります。特に誤解に基づくものについては、指導者たちのきちんとした説明によって改善されるべきものでした。そこで教会指導者たち（主に使徒後教父）は、対外的に教会の教え・方針を表明し始めました。すると当然体系だった教えと説明が要求されますので、彼らはその基本方針をまとめつつ、説明できるようにと考えたのです。結果として、教会の組織化が進展したことは言うまでもありません。

やがてこの流れの中から、教会の教えや方針に関して、人々に説明することを職業とする弁証家や護教家が生まれてきたのです。

③異端宗教が発生してきたので、それらとの違いをきちんと弁明する必要があった

素晴らしいもの、人々にとって魅力あるものには、いわゆる「まがいもの」を生み出す素養があるとも言えます。キリスト教についても同様で、その素晴らしさが人々を魅了すればするだけ、人々はそれを自分流に解釈して、別のものを作り出そうとしてしまったのです。その流れを止め、「これが本当のキリスト信仰です」と言い切れる枠組みを早く作ることこそ、教会に課せられた命題でした。

具体的に、当時の異端として大きく三つを取り上げてみましょう。もちろん細かく調べていけば、いくつでもそのような異端団体はありました。しかし、今回は特に大きな流れとなったものを三つ取り上げることにします。

Aグノーシス主義

キリストのあり方、また復活の真偽などを巡って、実体よりも「霊的な側面」を強調する流れがグノーシス主義です。実体を持った神の子キリストの「正統」な継承者であると主張する古代教会の主流派とは、相容れない存在がグノーシス主義者です。彼らは、結果的に「異端」という烙印を押され、歴史の表舞台からは姿を消したとも言われています。しかし近年の発掘調査の結果「ユダの福音書」が発見されたり、小説『ダ・ヴィンチ・コード』が爆発的なヒットとなったりする中で、改めて注目され始めています。

Bマルキオン主義

「マルキオン」とは、人の名前です。この人は、旧約聖書の神と新約聖書の神を分けて考え、この二つは別々の神であると主張しました。そうなると、唯一まことの神を信奉する古代教会の教えに反することになるため、「異端」として排斥されました。ユダヤ教との関わりを完全に切ってしまう方向性は、やはり性急であったと思われます。

Cモンタヌス主義

「モンタヌス」というのも人の名前です。彼はよく預言をしました。しかもその主な内容が「世の終わりはもうすぐだ！」という性急なものであったため、使徒の教えとはかけ離れていきました。当然、危険視されていきますから、「異端」として退けられていきます。

近年、研究者たちの中にはこのモンタヌス主義が当時の「リバイバル現象（第一七章参照）」ではなかったか、と考える人も出てきています。詳しく調べようと思ったのですが、悲しいことに、彼らの側から当時の状況に言及したテキストが見あたらず、彼らの主張などを書き記したものもあまり見つかっていません。古代教会の指導者たちが、モンタヌス主義者たちの文書をすべて焼き払ってしまったから、というのが大方の研究者の受け止め方です。そのため、彼らについてわかることはごく限られています。逆に「モンタヌス主義は異端である」と訴える書物や文書はたくさん残っています。ですから歴史的位置づけとしては、モンタヌス主義を「異端」とせざるを得ませんでした。

コーヒーブレイク①「歴史」は書かなきゃ残らない！

新しいことを成そうとする時、その時代の流れを敏感につかみ取り、新たに創出していくことが大切です。そのことをモンタヌス主義の登場と衰退は、私たちに教えてくれています。彼の主張のすべてが間違っているとは決して言い切れません。しかし、彼は決定的なミスを犯しました。それは、彼の文書が残っていないということです。検証する「形」が無いと、後の時代へ何も伝えることができません。当時は教会が次第に組織化されつつある時代でした。キリスト教の書物が生まれ始めたのも、この時です。文書が残されていないということは、「歴史化」できないということになってしまいます。

現代は、デジタル機器が驚異的なスピードで発展しています。私たちは、文明の利器を用いることが簡単にできる時代に生きています。私たちも何か「形」を作り、「歴史」に残そうではありませんか。あなたが書いたエッセイ、思いついたアイデアが、思いもよらないヒットを生み出すかもしれませんよ！

第五章　平和な時代〜神学思想の整え

■立場の逆転

キリストの復活を信じる人々の集まりが一つの組織として確立するためには、激しい迫害の中を通らなければなりませんでした。三世紀の出来事です。迫害と誤解、そして異端の発生という一見よくない出来事が引き起こされた時、教会は「キリスト教会」としてのアイデンティティを確立しました。組織化と体系化が進められていったのです。そして四世紀、キリスト教はローマにおいて保護される宗教となります。いわゆる国教的な立場を得たということです。

さらに五世紀、いよいよこの立場は強められていくこととなります。教会の中に、他の教会を指導したり訓練したりする、いわゆる「中心教会」ができあがってきたからです。それは五つありました。

①ローマ　②コンスタンティノポリス　③アンテオケ
④アレクサンドリア　⑤エルサレム

次第に教会は、全ヨーロッパを巻き込む世界の中心として、歴史を操るものへ拡大していきます。迫害と忍耐の歴史を経て、三九二年にキリスト教はローマ帝国の国教となります。しかしキリスト教徒が皇帝を打ち負かす形で国教化したのではありません。実はおもしろい駆け引きがあったのです。

四世紀初め、皇帝権争いに勝利したコンスタンティヌスは、今までの支配者とは違い、キリスト教を迫害する政策を採りませんでした。彼は、従来の皇帝がキリスト教徒に手を焼いているのを見て、発想の転換をしたのです。それは次のようなことです。

・それほどまで生命力のあるキリスト教なら、いっそそれを用いて帝国の力を強化しよう。

コンスタンティヌス帝は、自分たちの迫害にもめげずに、力強く生き抜くキリスト教徒の生命力に目をつけ、そのバイタリティを政治的に利用しようとしたのです。しかし一方で、当時マイナーな地方宗教であったキリスト教を擁護することに、皇帝としての政治的メリットがほとんどなかったとも言われていました。そうであるなら、やはり彼には信仰深い一面があったと言うことになります。「コンスタンティヌス帝の心情がキリスト教最大の謎」と言われるのはこの両側面が垣間見えるからです。

余談ですが、死後天国に行って、もし彼がそこにいたら、「どうしてキリスト教を擁護したのですか？」と尋ねてみたいと思います（笑）。

■神学思想の整え

キリスト教徒たちにとって、迫害がなくなることは願ってもない喜びでした。彼らは自らの信仰が一つの「宗教」として認められるための備えを以前からしていました。それが神学思想の整えです。この整えは、結構大変な作業でした。なぜなら当時人々の手元にあったのは、パウロや使徒たちの言葉を書き写したものでしかなく、現在のように「新約聖書」としてまとまっていたわけではなかったからです。ある書簡はこの教会、別の書簡はあちらの教会、という具合に、それらは断片的なものでしかなく、散在していたからです。

平和な時代の到来と共に、神学的な整えを始めようとする気運は高まってきました。迫害下にあっては、生きるか死ぬかという状況でしたから、物事の整合性を図ることに考えが及ぶはずはありませんでした。平和の時代が到来したからこそ、湧き起こってきた動きであると言えましょう。

さて、神学の整えを始めてみると、キリスト教内にも対立する点が存在することがわかってきました。そして、この問題のためにキリスト教自体が分裂の危機に陥ってしまいました。これに慌てたのがコンスタンティヌス帝でした。彼は、強くて力のあるキリスト教だからこそ公認したのです。だからキリスト教に分裂や崩壊が起こることは、絶対に避けなければなりませんでした。そこで、ついに皇帝主導で教会会議が開催されることになりました。キリスト教の一本化と組織化のために、かつては迫害を推し進めていたローマ皇帝が、今度はその修復のために一役買うこととなったのです。

キリスト教、皇帝、両者の関係が従来とは全く変わってしまっている、しかも、そうせざるを得ない状況にお互いが追い込まれているということがわかります。

■ニカイア会議

当時、キリスト教会内を大いに悩ませたのは、次の問題でした。

①父・御子・御霊は、お互いにどう関わるのか。
②イエス・キリストとは、何者か。神か人間か。

人々はまず、父なる神と子なる神との関わりについて整理することにしました。そして

■アリウス派とアタナシウス派は、激しくやり合った。

いよいよ皇帝主導による教会会議が三二五年、ニカイアにて開催されました。この会議には、三百人ほどの教会指導者たちが集まり、連日議論を重ねました。会議では、対立する二派が真っ向から対決する展開となりました。一方は、アリウスを中心とするアリウス派でした。彼らの主張は次のようなものです。

・アリウス派……御子は父よりもいくらか劣った存在である。

これは、御子が神による被造物であることを意味します。もちろん御子は私たちとは較べものにならないほど優れた方ではありますが、その御子は父に従属する存在であるという意味において、父なる神よりもいくらか劣っているという理解です。この考え方に立つと、我々の救い主であるキリストが不完全な者であり、被造物の一つということになるため、救いの前提が揺らぐ結果になってしまいます。会議の結果、アリウス派は異端宣告を受けます。

余談ですが、このような考え方をする現代の異端として、「エホバの証人」があります。彼らは、キリスト（御子）は確かに優れたお方であるが、しかし神によって造られた人間の最高モデルであると主張しています。

一方、アリウス派を異端に追いやったもう一方の派として、アタナシウス派があります。アタナシウスは次のように述べています。

・アタナシウス派……父と子は同質である。全き神と同じ性質を持つ全き御子が存在する。

ただしこれは、父と子が全く別の者でありながら、たまたま同じ性質を持っていた、というのではなくて、同じ性質を持つ、同じ存在であるということを強調しているのです。この考えを極端に推し進めると、「神が二人いる」ことになってしまい、唯一なる神という大前提が崩れてしまうことになりますが……（事実、そう主張してまた大きな騒動が起きました。このことについては後述します）。

なんだか言葉で見ると、とてもややこしそうですが、しかしこのような神学的な問題は、今も昔も人々の信仰を左右する大切なものです。この表現方法の微妙な違いを巡って、当時の教会会議は紛糾していたのでした。

■コンスタンティノポリス会議

ニカイア会議は、結局アタナシウス派の主張を受け入れ、ニカイア信条を採択して終結しました。しかし事態はこれで終わらなかったのです。「会議でこう決まりましたから、アリウス派の考えは間違いです」と言って、全員が納得するはずはありません。アリウス派は、すぐに復興しました。そしてこの議論に決着をつけるべく、様々な教会会議が招集されることになります。

ニカイア会議に次いで、主だった会議を招集したのはテオドシウス帝でした。彼は三八一年、コンスタンティノポリス会議を招集し、「父と子」の関わりについて再度議論させました。そして出た結論は次のようなものでした。

・父、子、御霊は同質である。

今回は、ニカイア信条で語られていた「父・子同質」に加えて、御霊の同質性が加えられて締結したのでした。従属説は、またもや退けられたのです。そして「父・子・御霊の同質」は、「正統」と呼ばれるキリスト信仰の、大事な根幹を担うものとなりました。このことは、「三位一体」という表現で言い表されるようになり、現代でも用いられています。しかし「三位一体」という表現は、聖書の中には一度も登場しません。あくまでも新約聖書編纂後の時代に、人々が用いた神学的な言葉であるという一面を忘れてはいけません。だからと言って「勝手に人間が作り出した教義」と考えてしまうのも性急です。歴史を導く神がおられる、ということを人々は常に意識していました。だから「三位一体」は、今でもキリスト教神学の重要な柱の一つとみなされています。

■「仮現論」のキリスト

続いて人々の間に起こってきた疑問は、父・子・御霊が同質としてあるなら、「イエス・キリスト」という存在は何者か、ということです。この問題が議題となり、開催されたのが四五一年のカルケドン会議です。この時もまた二つの意見が対立していました。一つは、次のような意見です。

・キリストは全き神であり、人間の体など取るはずがない。

これを「仮現論」と言います。この立場に立つ時、キリストは神としての性質を持っているということで、父・子・御霊の同質に矛盾することはありません。しかし、逆に私たち人間の救いに関しては、人間イエスの十字架と復活がなかったということになるため、神の救いが全く成立しないことになってしまいます。弟子たちを始め、多くの人々が目にしていたイエスという人物は、ただの「かげろう」のような存在で、（イエスとしてそこにいると）目に見えただけ、いたような気がしただけ、という存在になってしまいます。キリストを霊的な存在であると認めることは大切ですが、仮現論的に捉えてしまうと、逆に人間として歴史の中に生き動いたイエスという存在が薄れてしまうのです。

■「養子論」のキリスト

もう一つの考え方は、次のようなものです。

・キリストは全き人間であり、神などではない。一時的に神の霊を注がれただけである。

これを「養子論」と言います。イエスは、一時的にキリストとしての霊を受けたのであり、いわば養子的な立場で「神の子」となったのである、とする考え方です。この立場に立つと、イエスは神の霊に乗り移られ用いられたことになります。そして十字架の死と共に、神の霊は天に帰っていったことになるのです。そうなるとイエスはどこまでいっても本質的に人間であって、神と同質ではないことになってしまいます。人間イエスに重きを置く時、（仮現論とは逆に）今度は霊的存在としてのキリストが薄れてしまうのです。

これら二つの考え方に共通しているのは、どちらも十字架の救いが不十分になってしまうということです。仮現論では、実際の「十字架」の歴史的事実が薄れ、養子論では、十字架はよくても「救い」の部分が全く成立し得ないことになるのです。

■その他の説明

この二つの他にも、イエス・キリストについて説明しようと試みる考え方がありました。いくつか紹介しましょう。

①キリストは、外側は人間で内側は神である

これは「羊の皮をかぶった狼」みたいなものです。薄皮をはげば、そこには別のものがあった、という何ともグロテスクなキリストを連想させます。しかも本質において神であれば人間の姿は偽りということになりますので、これは受け入れられませんでした。

②キリストは神と人間が融合した第三の性質である

こうなりますと、神でも人間でもない新しい存在ということになりますので、全く論外です。イエスをキリスト（救い主）と呼ぶことすらできない代物になってしまいます。

③キリストは、神と人とが人格的に結合した存在である

神と人間が結合するという考え方が微妙です。まるでイエス・キリストが二重人格者、多重人格者のようです。ある時は人間で、ある時は神である、というようなどっちつかずの存在であることを認めるわけにはいきませんでした。

■二性一人格のキリスト

これらは一見イエス・キリストについてうまく説明しているようでありますが、突き詰めていけばどれも満足のいくものではありません。そこでカルケドン会議では、次のような定義を採択することになりました。

・キリストは、まことの神であり、まことの人である。

今までの議論をすべて無にしてしまうような一見乱暴な定義です。もう少し詳しく表現した別の言い方では、次のようになります。

・まざることなく、変化することなく、分離することなく、結合することのない二つの性質が同時に並び立つ存在である。

これを神学的な用語で「二性一人格」と言います。「二つの性質から一つの人格を形成している」という意味です。

これらいくつかのキリスト論を見てきましたが、どれも「論理的に」完璧なものは見出されていません。そもそも、私たちは論理で神様を枠づけることなどできないのですから。ここに「神学」というものの限界があります。そして信仰とは、このような「神学」を超えたところにまで及ぶのです。

第六章　東西教会と修道院の形成

■二つの大教会

古代の教会が次第に整えられていくにつれ、指導者たちの序列もはっきりとしてきました。教職者たちは総代監督を筆頭にして、監督、長老、執事、聖書朗読者、悪魔払いなどの役職が整えられていったのです。また聖書の編纂も進み、三九七年のカルタゴ会議では新約聖書二十七巻が決定されました。そして洗礼式と聖餐式が礼典として重みを持つこととなり、「使徒信条」が表明されました。

三世紀から四世紀にかけて迫害の苦難を通ったキリスト教は、国家的な保護の下、次第にその有り様が変質していきました。特にそれは、教会指導者を国家公務員的な扱いにしたという意味で、歪みを生じさせた一面がありました。格好だけの信者、為政者たちの影響を受けやすい牧師、そして社会的に成功を求めるために教会指導者になりたがる輩が増えてきたのです。つまり、端的にこういうことが言えます。

・教会と国家の癒着が次第に強くなり、キリスト教の本質が変容し始めた。

この流れに拍車をかけたのが、東西教会の相違が色濃くなってきたという事実です。五大都市に据えられた教会の中で、フランスからイタリアにかけてローマ人を中心としたローマの教会（西方教会）と、ギリシアから小アジアにかけてギリシア人を中心としたコンスタンティノポリスの教会（東方教会）が、それぞれの特色を持ち始めたのです。大まかに言って、西と東、その違いは次のようなものです。

・西方教会…論理的で実務的な教会として発展する。

・東方教会…哲学的・神秘的な教会として発展する。

この両者の違いは、国家との癒着が始まった時に改めて明確になりました。西方教会は、ますます国家的な組織としてこの世の中で権力を振るい始め、ローマ皇帝が教会の領域に口を挟むことがしばしばありました。それに対して東方教会では、このような流れを「堕落」と捉え、むしろ霊的に教会を守ろうとしたのです。

この違いは、豊かで平和な時代になり、増加しつつあるクリスチャンたちが次第に信仰を緩め始めた時に顕在化してきました。いわゆる俗世に堕していく教会の現実があり、それに対して信仰を引き締めて神を求めようという動きが起こったということです。それはやがてひとつの共同体を形成しました。それが「修道院」です。

■「神の競技者たち」

ただし、初めから「修道院」という集まりができたわけではありません。最初は「隠遁《いんとん》者」と呼ばれる人たちが集まり、生活を始めたのです。彼らは断食をしたり、所有物を放棄したりしました。そして多くの隠遁者が集まるにつれ、この傾向はさらに強められていきました。全く寝ないで何日も過ごすとか、個室にこもって全く人との接触を断つとか、十字架を背負って四六時中過ごすというような者まで出始めたのです。

そして極めつけが、「柱頭隠者」と呼ばれる人々でした。彼らは、高い柱の上で何十年も過ごすのです。最も有名なのが、トルコのカパドキアにいたシメオンという人物です。

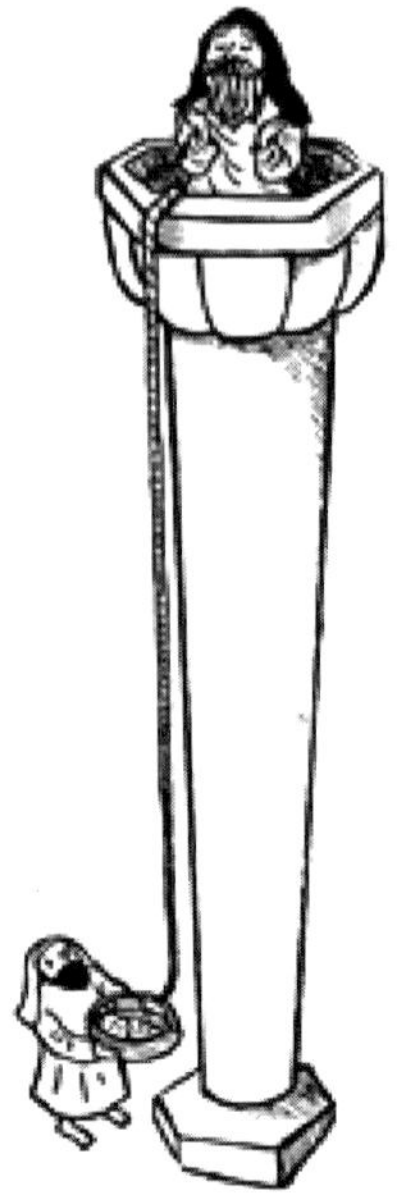

■柱頭隠者シメオン

彼は三十年もの間、柱の上で過ごし続けたと言われています。このような隠遁者たちは、過酷なまでの修行スタイルのゆえに、人々から「神の競技者たち」と呼ばれました。

そもそも彼らはなぜこのような一見奇行とも思われる行為に及んだので

しょうか。それは、彼らが東方教会に属していたことに端を発します。東方教会は、哲学的な思索に富み、神秘的な体験をしてみたいという雰囲気がありました。霊的なものに心を開くことに何の抵抗もなかったのです。彼らは自分たちの体をいじめ抜くことで、何とかして神秘的な領域に入りたい、神に近づきたいと願ったのでした。

目に見える現状は、次第に教会が国家的な権力との距離を縮めていきます。それによって、本来教会が持っていた神秘性が失われていくと彼らは考えたのでした。これは言い換えれば、現実的・実利的な世界に教会が引き込まれてしまうことによって、信仰が次第に堕落していくと考えたということです。だから敢えて霊的なものに心を向けていったととらえることもできるでしょう。

そしてエジプトにおいて、アントニウスという人物が隠遁者たちを集めて、共同生活を組織的に行おうと試みました。これが「修道院」の始まりです。

■修道院のねらいとしくみ

この「修道院」は、次第に人々に認知されるようになっていきました。そして集う人々が、単なる「世捨て人」ではなくて、大切な教会の働きの一端を担うということが理解されるようになっていったのです。この働きをさらに拡大しようとしたのが、「修道院制の父」と呼ばれるパコミウスです。彼は修道院の働きを、教会の霊的状態を守ることであると定義しました。それと同時に、教職者の養成機関としての活動も始めたのです。

時期を同じくして、イタリアのモンテカシーノ地方においては、修道院の古典的な規則を制定する動きが起こりました。修道士ベネディクトゥスが「三大誓願」を掲げたのです。それは次のようなものです。

・三大誓願……「絶対服従」、「清貧」、「純潔」。

「絶対服従」とは、「神の御心に従うことを学ぶ」ということです。神の前に敬虔になるということが、霊的な状態を常に維持するのに大切なことであると考えたのです。「清貧」とは、「個人的な所有物を持たない」ということです。そして「純潔」とは、「性的な交わりを持たない」ことであり、具体的には「結婚しない」ということを意味しています。

当時の修道院指導者たちは、単に教会の霊的な状態を維持するだけでなく、中には皇帝に対し、「神の代弁者」として意見を述べる者もいました。イタリアのミラノ出身のアンブロシウスがその人です。彼以外にも修道院に集まる人々は、知的で、頭が良く、様々な分野に業績を残す人が多く輩出されました。

具体的には、聖書をラテン語に翻訳したヒエロニムス、コンスタンティノポリスで「黄金の口」という異名をとったクリュソストモスなどが挙げられます。特にヒエロニムスが訳したラテン語聖書は、「ウルガタ聖書」と呼ばれ、カトリックの公認聖書として今でも用いられています。

■アウグスティヌスの功績

そしてこの時代、忘れてはならない偉大な人物が登場しました。その人の名はアウグスティヌス。彼は、母モニカの祈りをよそに、放蕩三昧を尽くしました。その後、アンブロシウスのメッセージを聞き、劇的に回心します。アウグスティヌス最大の功績は、「三位一体」の教理を深めたことです。また、十字架によって救われるという「十字架の神学」を確立させ、「原罪」の教理を広めたことです。

著作として『神の国』は有名です。また、自叙伝として『告白録』を著しました。アウグスティヌスの特徴は、次のようになります。

・アウグスティヌスは、カトリック的な要素とプロテスタント的な要素を併せ持つ人物であった。

彼は一方で神学的な思索を進め、普遍的な教会の教理を確立することに貢献しました。「三位一体」の追究などがこれに当たります。一方で、人は誰もが「原罪」を持っており、しかもそれがアダムからの遺伝によって先天的に全人類に及んでいると説きました。これを拭い去るにはキリストの贖いが必要であると論を進め、「十字架の神学」を確立したのです。この流れは、プロテスタント的（福音的）であると言えましょう。

教会制度の確立に貢献しつつ、信仰の持ち方としては個人的なものであるべきであると説くアウグスティヌス。彼の存在は、古代教会の確立においてなくてはならない存在であると同時に、二千年に及ぶキリスト教会の歴史全体においても、「扇の要」のような働きを果たしています。

第七章　中世キリスト教会の展開と東西分裂

■ローマ帝国分裂

古代のキリスト教会は、ローマ帝国からの迫害を受けつつも、草の根的に信者を増やしていきました。国家（ローマ帝国）との対立の中で、当時の教会にはある種の緊張感がありました。しかし、コンスタンティヌス帝による国教化以来、国家との関わりが深くなったキリスト教は、緊張感というよりも安定感を伴いながら、次第に国家を支える存在となっていくのでした。

しかし強力な国家として君臨していたローマ帝国も、長い年月を経て次第に陰りが見え始めます。強力な皇帝の権限が弱まっていくにつれ、帝国内で他の台頭勢力が力をつけ始めてきたのです。そしてついにローマ帝国は、東西（西ローマ帝国と東ローマ帝国）に分裂してしまいました。それに伴い、キリスト教会も東西に分断されることとなったのです。

さらに三〇〇年頃から、次第に始まったある「動き」が、キリスト教会の歴史を大きく変転させていきます。この「動き」は、ヨーロッパに「古代」の終焉を告げ、次なる時代、すなわち「中世」の幕開けを告げるものとなりました。この歴史的事件は「ゲルマン民族の大移動」として我々に語り継がれています。

■ゲルマン民族の大移動

三〇〇年頃、東方に住んでいたゲルマン民族が、フン族に押し出されるようにして西下し始めました。彼らは追われた土地を後にして、新天地を求めて民族全体で大移動を始めたのです。この傾向は、三七〇年頃から三八〇年頃にかけてピークを迎えました。そして四七六年、ついに彼らは西ローマ帝国を滅亡へと追いやりました。教会は、大切なパトロンを失ってしまったのです。

■ゲルマン民族は、馬に乗って侵入。

このゲルマン民族は、少し変わった民族でした。ふつう「民族」は特色ある文化や風習、宗教を持っています。そして征服された国と彼らとの間に軋轢が生じてくるはずです。しかしゲルマン民族は、強靭な肉体とは裏腹に、特定の文化や宗教を持っていませんでした。彼らはいわゆる「野蛮」な民族であり、文化的なアイデンティティを強く持っていなかったという専門家の意見もあります。

さて、安定と基盤を与えてくれたローマ帝国という支えを突然失ったキリスト教会は、必然的に新たな活動を強いられることとなりました。それはキリスト教会の生き残りをかけた活動でした。彼らは特定の文化を持たないゲルマン民族へ、文化文明を伝えると同時に、彼らにキリスト教を伝えようと試みたのでした。ローマ帝国という壮麗な文明社会に培われてきた文化的な所作をゲルマン民族に伝えると同時に、彼らをキリスト教化しようと考えたのです。ゲルマン民族は素直にローマ帝国時代の文化を受け継ぎ、さらにキリスト教を信じていきました。

ゲルマン民族への伝道は、次第に成果を伴うものとなっていきました。例えば中央ヨーロッパを占拠したフランク族は、クローヴィス王の下に勢力を誇っていました。やがて教会と親密な関わりを持つうちに、四九六年、王を始め民族全員が受洗し、キリスト教徒となりました。彼らが今のフランス人の先祖です。

■グレゴリウス一世登場

西ヨーロッパでは、グレゴリウス一世がグレート・ブリテン島のカンタベリーに拠点を置き、伝道を展開していました。この人物は、五〇〇年代末から六〇〇年代にかけて教会のトップとして君臨し、名実ともに「教皇」と呼ばれるに相応しい人物でありました。

当時教会は、監督という役職を置いていましたが、やがてローマの監督が力を持ち始め、他の教区を指導する立場になっていました。このローマで卓越した指導力を発揮し、為政者に対する大胆な進言を行うことで、リーダーシップを遺憾なく発揮したのがグレゴリウス一世です。彼は、アングロ族とブリテン族（後に混血して、アングロ・サクソン族となる）へ伝道を展開していきました。

彼にまつわるこんな逸話があります。

「ある日グレゴリウスは、奴隷市場を歩いていて、奴隷の中に金髪のかわいい少年を見つける。彼は奴隷商人に尋ねた『この子はどこからきたのか』と。すると商人は『彼らはグレート・ブリテン島のアングロ（ェアングル）族です』と答えた。その答えを聞いた時、グレゴリウスはこう言った『違う。彼はェアンジェル（天使）だ』。そして彼はアングロ・サクソンへの伝道を決意した」

彼の優しさと、実際に行った奴隷や捕虜の救済活動を讃える逸話であると言えましょう。

他にも彼の偉業には次のようなものがあります。

・グレゴリウス一世の偉業

①礼拝スタイルの確立…神に対する「礼拝」という概念を初めて取り入れた。

②グレゴリオ聖歌の作成…修道院などで歌われる「聖歌」を作曲し、賛美の原型を作っ

た。

③神学者…アウグスティヌス神学を追究し、「地上の教会は神の国の現れ」という教理を実践した。

彼はまた、政治家としても手腕を奮いました。ロンバルト族がローマに侵入してきた時、彼は国家を代表して敵地に赴き、「ローマとの戦いをしないように」という約束を取りつけたのです。この一件以来、彼の人気は高まりました。しかし彼は謙遜な人物で、自らを「『神の僕』の僕」と称し、人一倍篤い信仰心をもって神に仕える姿勢を決して崩しませんでした。

■キリスト教の浸透

五世紀、ゲルマン民族の大移動により、西ローマ帝国滅亡という危機が突然、西方教会を襲いました（四七六年）。しかしそのような中にあっても、彼らはこの事態を乗り切ったのです。そしてさらなる成長と発展を遂げることに

おすすめCD

グレゴリオ聖歌

90年代の終わりに、「いやし系」のさきがけとしてヒットした「グレゴリオ聖歌」。

教会の中で荘厳に歌われるにふさわしいその雰囲気は、聞くものの心をやさしく包んでくれる。

『グレゴリオ聖歌』は、教会音楽の推進者であるグレゴリウスにちなんで、中世の教会音楽をそう呼び習わしているということ。グレゴリウスがすべて作ったわけではない。

なりました。それは、卓越した指導者が登場したことと、彼らがローマ帝国時代に築いた「キリスト教」としての強さ（神学的教理の明文化・教会組織の構築など）があったからです。そしてキリスト教は、着実にゲルマン民族の中に浸透していったのでした。

ローマ帝国の分裂とともに、キリスト教会も西と東に分かれることとなりました。しかしまだ決定的な分裂には至っておらず、両者の違いが際立っているという程度でした。西ローマ帝国の滅亡とゲルマン民族のキリスト教化によって、西方教会が次第に国家と一体化していくにつれ、東西両教会はその対立の溝を深めていきます。両教会の違いを見ていきましょう。

■西方教会の展開

西方教会は、国家と一体となって社会を動かし始めていました。フランク王国のクローヴィス王は、メロヴィング王朝をうち立て、教会はその働きを背後から支えました。やがて次のカロリング王朝の時代、ボニファティウスなどが活躍し、国家を強大にするために教会が権威づけを与えるという動きが起こってきました。

ピピン王の後継者、カール大帝（フランス読みではシャルルマーニュ）は、八〇〇年に教会からローマ帝国の皇帝として戴冠されました。彼自身は教会からの戴冠にそれ程乗り気ではなかったようですが、全ヨーロッパに国家の権威づけとしてアピールする効果は絶大でした。やがてフランク王国は、後継者たちによって分割されることになりました。それは次のような区分けです。

①東フランク（ドイツ）②西フランク（フランス）③イタリア

東フランクは、九六二年にオットー一世が皇帝として戴冠し、国名を「神聖ローマ帝国」としました。これは、「滅んでしまった（西）ローマ帝国を神の名の下に復興させる」という意味合いがありました。またイタリアは、領土としては一番小さく見劣りするようですが、「教皇のお膝元」としてその地位は高かったと言えます。

これら一連の動きは、古代の教会には決して見られなかったものです。

・古代の教会……国家との対立の中、草の根的に拡がるキリスト教の拠点としての役割を担った。

・中世の教会……王たちに権威づけを与えることで国家を指導し、歴史と時代を動かす力を持つようになった。

王たちへの権威づけを行う教会、それはすなわち教皇の権威の拡大を意味していました。教会が国家を指導し、教会の意を汲んだ形で国家は存在するようになっていったのです。そして教会もまた国家を利用して、その権限を確かなものとしていきました。「教会と国家の一体化」、これこそが中世キリスト教の特色です。

■東方教会の展開

西方教会が国家との結びつきを強めていく中、東方教会は依然として「古代」が続いていました。それは東ローマ帝国が健在で、皇帝の権力が絶大であり、キリスト教会は彼の意に適うものしか残されていなかったからです。端的に言って東方教会の教皇には、西方ほど力がありませんでした。

そのような中にあって、クリュソストモスは特異な存在でした。彼は「黄金の口」という異名を取るほど説教がうまく、またストレートに悪を非難することで有名でした。それは、相手がたとえ皇帝であっても容赦しないほどの率直さでした。しばしばクリュソストモスが皇帝と対立し、島流しなどにあっているのはそのためです。

西方の教会が自立して国家を動かすまでになっているのに対し、東方の教会は依然として東ローマ帝国との対立関係を解消しできずに存続していくのでした。

■東西分裂とその理由

東西教会の違いは、次第にお互いを敵視するほど際立ったものになっていきました。そして一〇五四年に決定的な決裂をしてしまいます。東西両教会は、互いを「異端」として排斥し合い、対立関係は現在も続いています。このような事態に陥った原因となるものがいくつか挙げられます。

①言語の問題

東西両教会は、それぞれ用いられていた主要言語が違いました。西方教会はラテン語、そして東方教会はギリシア語でした。この言葉の違いがお互いに対する異質感を生み出したと言えます。

②イースターの日取り問題

西方教会は「グレゴリウス暦（すなわち太陽暦）」を採用しました。しかし東方教会は、ユダヤの暦である「太陰暦」をそのまま用いていました。このことによって最も問題となったのは、イースターがずれるということでした。キリストの復活日がずれるということは、彼らにとっては耐え難いことでした。これがお互いに相手を非難する格好の材料となってしまったのです。

③フィリオクエ論争

三位一体なる神において、聖霊がどこから来るのかについては、大きな神学的論争となりました。ニカイア・コンスタンティノポリス信条では「聖霊は御父と御子と（＝filioque）より出で」となっており、西方教会はこの信条を受け入れていました。しかし東方教会はこれに反対し、「聖霊は御父より出で」という立場を取っています。この違いは、特に神に関することだけに決して蔑ろにできず、今なおこの論争は続いています。

④聖画論争

キリストについて人々に伝える方法として、しばしば「聖画」が用いられていました。キリストの絵や像、そしてマリアの絵などが、民衆にとってよき視聴覚教材となっていたのです。しかしこの「聖像・聖画」が偶像ではないかという論争が起こってきました。しかし西方教会は実践的な観点から、多くの人々が見て分かりやすい聖画を肯定しました。西東方教会は、哲学的・形而上学的観点から、これらを偶像であるとし、排斥しようとしたのです。

両者の違いは、前の章でも取り上げたように、西方教会が論理的で実務的な性質を持っていたのに対し、東方教会が神秘主義的な性質を強調し、目に見えるものや形あるものに重きを置くことを拒んだ、というのが正しい理解でしょう。東方教会の中には、急進的に聖像や聖画を破壊することに使命を感じる者が出現しました。しかしこの問題については、やがて東方教会が折れ、西方教会と同じ見解に至っています。

西方教会が次第に勢力を増しつつあるのを見た東方教会の教皇は、自分たちも国家に対して発言力を増そうと試みます。しかし、この目論見は成功しませんでした。それは次のような理由によります。

・西方教会がローマ教会を中心として「中央集権体制」になっていたのに対し、東方教会は「地方分権」的な体制であったため、一枚岩になれなかった。

東方教会は、コンスタンティノポリスを中心として教会を各地に拡げていました。しかし、アンテオケ、アレクサンドリア、エルサレムなど、コンスタンティノポリスと並び立つ教会が複数存在していたのです。彼らが一つに結集して、同じ方向を向いていくということは、なかなか難しいことでありました。

そして一〇五四年の決裂を経て、彼らは各々自らを次のように称しました。

・西方教会……カトリック（Catholic＝普遍）教会
・東方教会……ギリシア正（Orthodox＝正統）教会

カトリック教会は、この地上に一つの教会をうち立てようと試みました。人間にその誕生から死に至るまで、キリスト教会を中心とした生涯を送らせようとしたのです。その結果、幼児洗礼や什一献金などの制度が確立され、言うなれば、教会が市役所のような働きを担うこととなったのです。一方、ギリシア正教会は自分たちこそが「正統 Orthodox」だと主張し、独自の道を歩み始めました。

「中世」という時代は、皆が一つの真理によって生きることができると真剣に考えていた時代であり、多様性を受け入れることは真理の喪失を意味していました。それは次のようにまとめることができます。

・「中世」とは、たった一つの絶対的な真理を求め、飽くなき追求とチャレンジに燃えていた時代である。

第八章　教皇権の拡大と十字軍

■教皇権隆盛の時代

中世は五〇〇年頃から一五〇〇年までの千年間を指します。その間、社会のトップに君臨していたのは国王たる皇帝ではなく、教会の指導者である教皇でした。前回も触れましたが、「教皇制」は各教会に置かれた教会監督の中から、特に他の監督を指導するリーダー的な役割をローマの教会監督が担ったことから始まります。教皇は単なる教会のトップというだけでなく、イエスの弟子ペテロの系譜に連なる「聖人」として位置づけられるようになったのです。絶大な権威を身にまとった教皇は、中世という時代を代表する存在であったと言うことができます。

教皇は初めから政治や経済、社会に対して権限を持っていたわけではありません。教会が国家の後ろ盾として存在し、神聖ローマ帝国を誕生させた頃から次第に勢いを持ち始め、十一世紀末に絶頂期を迎えるようになったのです。

当時、教皇に並び立つ存在として目されていたのが、神聖ローマ帝国の皇帝でした。しかし、皇帝よりも教皇の方が力を持っているということを明らかにする事件が起こりました。

■カノッサの屈辱

十一世紀、時の教皇グレゴリウス七世は優秀な指導者でした。教会組織内の「たるみ」を引き締めようと、修道院活動に積極的でした。また政治的な手腕もあったようで、非常にリーダー性のある人物でした。彼の尽力のおかげで教会勢力はさらに大きなものとなり、教会は各地に建設され、そこに教皇から任命された司祭・司教が赴任していました。しかしこの制度に対して異議を唱える者が現れたのです。神聖ローマ帝国の皇帝、ハインリヒ四世がその人です。

当時の教会領は無税で、献金や集められたお金はすべて教皇庁（ローマ）が管理していました。つまり神聖ローマ帝国内の領土であっても、そこだけは皇帝の支配権が及ばなかったのです。それに不満を感じたハインリヒ四世は、領土内の司教に自分の息がかかった人物を任命したいと目論んだのです。彼の主張はこうです。

・「教会といえども、神聖ローマ帝国の領土であることには変わりない。土地の管理権や、司祭の叙任権は皇帝が持つべきだ」

しかしこれに対し、グレゴリウス七世は「破門状」を突きつけることで対抗しました。

この「破門」は、今の私たちにはピンとこないものかもしれません。しかし、当時の人々にとって「破門」は、次のことを意味していました。

・「破門」は、地上の天国である教会との結びつきが解かれる「永遠の滅び」であった。

当時、教会は「地上の天国」であると思われていました。つまり教会との結びつきだけが天国への入り口だったのです。その教会から破門されるということは、幼児洗礼を受けて以来、天国に確保された永遠の命に至るパスポートが破棄された、ということを意味します。

これには、神聖ローマ帝国の皇帝といえども平気ではいられませんでした。一〇七七年、彼はグレゴリウス七世の別荘地カノッサに赴き、雪降るクリスマスの時期に三日三晩立ちつくし、教皇に許しを請

■三日三晩立ち尽くすハインリヒ四世

うたのです。

結局破門は解かれ、ハインリヒ四世は赦されました。しかし「カノッサの屈辱」事件は、単に一人の人物が破門され、謝ったことでその破門が解かれたという単純な出来事ではないのです。この事件が意味する重大な事実は、「皇帝が教皇に頭を下げた」ということであり、ローマ教皇は並びうるものを持たない絶大な権力を持っているということを世に知らしめたのです。教皇権がうなぎのぼりにその権威を増していったということを意味し、国王でさえ及ばない絶対的な力を持っているということを、広く人々に示す結果となったのです。

後日談ですが、ハインリヒ四世は狡猾にグレゴリウス七世を出し抜き、結果的に教皇を幽閉し失脚させてしまいます。ですから勝負は痛み分けというところなのかもしれません。

■十字軍遠征

教皇権の拡大がピークに達した頃、一つの大きな事件が全ヨーロッパを震撼させました。六世紀末から次第に力をつけてきたイスラム教徒勢力が、ついに「セルジュク・トルコ」として東方教会の土地を席巻し始め、この時の進軍によって、シリア、パレスチナ、エジプトが東方教会からイスラム教徒の手に落ちたのです。そしてエルサレムが陥落したという報が届くと、ヨーロッパ全土に激震が走りました。なぜなら、カトリック教会にとってエルサレムは聖地巡礼の特別な場所として神聖視されていたからです。

前回も取り上げましたが、カトリックは「行いによって救われる」という原理を認めます。そこで聖地エルサレムへ巡礼することによって、自身の救いを確かなものにするという考え方がありました。その聖地があろうことか異教徒によって占拠され、聖地巡礼に赴く人々が危険に曝されているのです。その現状を人々は到底受け入れることはできませんでした。彼らは次のように考えました。

・世界を普遍的な真理（キリスト教）で統一するために、異教徒を改宗させなければならない。

こうして一〇九五年、フランスはクレルモンにおいて、時の教皇ウルバヌス二世が十字軍の必要性を説きました。彼は次のようなポイントを挙げ、人々を鼓舞したのです。

「神の国を実現しよう。そのためには異教徒どもを打ち破らなければならない。十字軍に参加すれば、神の恵みが必ず与えられる」

この声に全ヨーロッパの国々が賛同しました。しかし彼らの思惑は、微妙にズレがあったこともまた否めない事実です。十字軍に参加するいくつかの（信仰的ではない）別の理由を見てみましょう。

①新しい土地の獲得

当時のヨーロッパには、「新しい土地」が残されていませんでした。このままいけば、キリスト教徒同士が争って、既存の土地を奪い合うことになってしまいます。しかし戦うために新たな地に出て行くなら、新しい土地を獲得できるチャンスを得ることができます。各国の王が遠征に参加した理由は、新たな土地取得のためでした。

②罪の赦しが与えられる

教皇は、この十字軍に参加した者は神からの恵みがいただけると説きました。それはキリスト教徒にとっては、天国に入る保証を得るまたとない機会です。彼らは、自身の救いと罪の赦しを得るために立ち上がったのです。

③東方世界へのあこがれ

ヨーロッパ内では、すべてが整っているかわりに目新しさに欠けている状態でした。そのため、彼らは「東に行け

Book Review

『十字軍－ヨーロッパとイスラム・対立の原点－』
ジョルジュ・タート著

十字軍について、当時の絵画をもとに解説したもの。文章よりも絵の方がたくさんあるので、絵画集かと思うほど。絵をパラパラと見るだけでも楽しめるし、じっくりと本文を読むと、各回の十字軍の様子がよくわかる。同じシリーズでローマ教皇の歴史を2000年間追ったものもある。

〈1993年 創元社〉

ば、何か新しいものがあるかもしれない」と考えるようになっていました。ちょうどその時、この十字軍結成の話がわき起こってきたのです。人々は、冒険心や新しい世界に対する期待感から、参加することにしたのです。

④東方教会からの要請

彼らが十字軍派遣を思い立った直接的なきっかけは、イスラム教徒の包囲があと数キロに迫ったコンスタンティノポリスからの応援の要請でした。東方教会は確かに西方教会と反目し合っていましたが、異教徒であるイスラム勢力によって滅ぼされるくらいなら、同じキリスト教を信じる西方教会に頭を下げてでも助けてもらいたいと考えたのでした。この要請に西方教会が純粋に信仰心から応じたというのも事実ですが、同時に低姿勢で頼まれたら悪い気がしないし、今後の東西両教会の関係に有利に働くのではないか、という思惑が動いていたのもまた事実です。

■十字軍の経過

一〇九六年、第一回十字軍が出発しました。この時はフランスの諸侯が中心となった陸路部隊でした。先に挙げたような様々な思惑を内に秘め、ともかく篤い信仰心に駆り立てられながら、十字軍の一団はエルサレムを目指しました。そして見事にイスラム勢力を蹴

散らし、エルサレムを奪還し、そこにエルサレム王国を樹立しました。もちろんコンスタンティノポリスも回復できたことは言うまでもありません。

しかしこの平和も長くは続きませんでした。一一四七年に再びイスラム教徒がエルサレムを陥落させたのです。なぜこれほどまでにイスラム教徒がエルサレムにこだわるのでしょうか。それは、彼らにとってもエルサレムは「聖地」だからです。

ユダヤ教、キリスト教、イスラム教は、同じ（旧約）聖書を正典と見なしながら、その解釈が異なるため、一種の近親憎悪のような関係にあると言われています。例えばイスラム教のコーラン研究者によると、アブラハムがモリヤの山で神に捧げたのはイシュマエル（聖書では、当然イサク）と読めるそうです。学術的にこれら三宗教は「一神教」と呼ばれることがあります。そして、今なお対立が続いています。

話を戻しましょう。再度のエルサレム陥落の報を受け、第二回の十字軍が組織されました。この時は神聖ローマ帝国のコンラート三世、フランスのルイ七世が中心となり、前回と同様に大部隊で出陣しました。しかし結果は失敗でした。彼らは途中のダマスカスで敗走させられてしまいました。

その後、第三回から第八回まで、百年以上にわたって十字軍は結成されましたが、どれも今ひとつの結果でした。特に、インノケンティウス三世が提唱した第四回十字軍は、全くお門違いの結果を生み出しました。集められた軍隊はベニスの商人が手配した舟に乗せられ、東方教会のあるコンスタンティノポリスを攻め、「ラテン王国」という別の国家を樹立してしまったのです。「東方教会を助ける」という大義の下に出陣したはずの十字軍が、あろうことか東方教会を襲い、別の王国をうち立ててしまったのです。もはや正常な目的など有名無実であったと言わざるを得ません。

■少年十字軍

さらに悲惨だったのが、一二一二年に結成された「少年十字軍」です。何度攻めても芳しい結果が得られない今までの十字軍に業を煮やした少年たちが、純粋な心と信仰心を持って進めば必ず神が助けてくれると信じ、「少年十字軍」を結成したのです。ドイツのニコラスを中心として、三万人の少年たちが集まりました。そして意気揚々と出かけて行ったのですが、スイスの山中で次々と命を落としてしまい、果てには山賊に襲われる始末でした。その後、フランスのステファンを中心として二万人が新たに集められました。この時は海路での旅でしたが、商人たちの悪巧みによって彼らは奴隷として売られてしまい、中にはイスラム教徒へ売られてしまった者もいたと言われています。彼らの中の数人が脱走し、約十年後に帰国して分かった惨事でした。

■十字軍失敗の原因

どうして十字軍は失敗してしまったのでしょうか。多くの原因が考えられますが、ここでは代表的なものをいくつか取り上げてみましょう。

①混成部隊であったため、統制が取れなかった

イギリスやフランス、そして神聖ローマ帝国の軍隊が一堂に会し、進撃しました。それは一見、大部隊のようですが、組織力という点から見ると寄せ集めの混成部隊であることは否めません。統制が取れたイスラム勢力の敵ではなかったと言うことができます。

②老人・病人が多く部隊にいた

十字軍を呼びかける時の動機づけは、この戦いに参加した者は神からの恵みをいただくことができるというものでした。当時、殉教の死は最高の救いを得ることができると信じられていました。そこで余命幾ばくもない老人や、病で満足に戦うことができない者たち

がこぞって有終の美を飾ろうとしたのです。一方、イスラム勢力は訓練された強靭な部隊です。これでは勝負にならないのも無理はありません。

③補給物資の欠乏と東方教会からの援助打ち切りに遭った

西ヨーロッパからエルサレムまでは、当時としては気の遠くなるような距離でした。しかも第四回の十字軍以来、東方教会からの援助は望むべくもありません。そのような中で、彼らは遠征先で非道な手段に訴えて食料や水を手にいれなければならなかったのです。風紀は乱れ、暴徒と化す部隊がいくつも現れて、統制が取れないまま敵と戦わなければなりませんでした。

④商売や領土拡大など、目的がばらばらであった

前で取り上げたとおり、打算や駆け引きでこの戦いに臨んだ者も多くいました。その結果、一つの目的のために一枚岩になることができなかったのです。

⑤騎士道精神が通用しない敵であった

ヨーロッパの美徳として、騎士道精神というものがありました。それは礼節を重んじ、一対一の戦いを好むものでした。しかしイスラム教徒は、そのような意識は端からありません。大勢で一人に向かって行き、口上を述べる暇すら与えず斬りかかっていきます。そんなイスラム教徒の姿に、十字軍の兵士はとまどいを隠せませんでした。単純にイスラム教徒が強かったということも挙げられます。

■教皇権の斜陽化

十字軍の失敗は、単にエルサレム奪回に失敗したというだけではなく、その影響は「中世」という社会そのものに大きな打撃を与えました。教皇権に陰りが見え始めたのです。中世とは、すなわち教皇が権力をほしいままにした時代です。そしてインノケンティウス三世の時代に頂点を極めた教皇権は、十字軍をどうしても成功させなければなりませんでした。なぜなら十字軍は、神に最も近い存在として自他共に認められていた教皇が主導した出来事です。絶対に成功するはずだったのです。しかし結果として失敗し、教皇の権威は大いに傷つけられました。そして人々の間には、教皇に対する疑念が生まれ始めます。

教皇権の斜陽化とともに次第に勢力を増してきたのが皇帝および各国の王たちです。しかも十字軍後のヨーロッパ社会は、皇帝たちにとって都合のよい事態が起こり始めていました。

・十字軍で優秀な諸侯が死に、土地を支配する者がいなくなってしまった。そこで、王が一括して土地を治める「中央集権国家」が生まれつつあった。

今までの封建社会は、教皇を中心にして諸侯が忠誠を誓い、それによってある程度の規律が保たれていました。しかし十字軍によって土地を支配していた多くの諸侯たちが死に、土地の管理や運営を任せることができる人材がいなくなってしまったのです。封建的な社会では、信義によって上下関係が成り立っていたのですが、それらを支える存在がいなくなってしまった時、ごく一握りの支配者層が全てを治めるというスタイルに変化していくのは当然のことでした。そしてその頂点に教会や教皇が立ち続けることは難しくなってきました。必然的に皇帝たちが力を蓄え始めていったのです。

■新たな文化・技術の流入

他にも、中世という時代にはなかったものが次々と西ヨーロッパに入り込んでくるようになりました。十字軍の進軍によって、交通網は整備され、商業活動は盛んになりました。都市経済が活発化し、アラブ地方に栄えていた様々なもの（アラビア数字・天文学・紙の技術など）が流入してくるようになりました。これらは西ヨーロッパ以外の世界に目を向けさせる格好の材料となりました。

一つの真理をつかみ、単一のもので世界を統一しようとする中世特有の試みは、千年間続きました。しかし教皇が絶大な権限を握り、信仰の理想像がそのまま現実の社会を形成していた時代はよかったのですが、時が流れ、十字軍の百年余りを経験する内に、人々の間に次のような意識が芽生えてきました。

・キリスト教による普遍的（理想）社会の形成は、どうもうまくいかないのではないか。

一つの真理、統一された世界を求める方向性は、今の事態を打開することができないのではないかという不安を人々が抱くようになっていったのです。

コーヒーブレイク②「あの時、楯突かなければ……」ジョン王の憂鬱。

教皇権の拡大は、留まるところを知りませんでした。一一〇〇年代から一二〇〇年代にかけて、教皇の力は絶大なものとして、社会に影響を与えました。そして、最も力をふるった教皇がインノケンティウス三世です。彼は、自ら「王たちの王にして、支配者」、「神には劣るが、人間よりは優った存在」、「地上における至上権を持っている者」と豪語しました。こうして教会は社会の頂点に君臨し、彼に刃向かう者はすべて「破門」を宣告されたのです。 彼から破門されたかわいそうな王様は次の人たちです。

・フランスのフィリップ王……現在の王妃と離婚し、 別の女性と結婚しようとした。
・イギリスのジョン王……教皇が送り込んだカンタベリーの大司教を認めないと発言した。

そして彼らは、どちらもインノケンティウス三世に謝罪して事態の収拾を図ったのです。かわいそうなのは、 イギリスのジョン王でした。 彼は騒ぎの賠償として、 アイルランド島とフランスにあるイギリス領を教皇領として寄進することを約束させられてしまったのです。 それ以来彼のあだ名は「失地王」 となり、 以後、 ジョンと名乗る王様はイギリスには登場しないという「不名誉な歴史」 を作ってしまいました。

ですからイギリスでは、 おそらく今後も「ジョン」 と名の付く王子や皇太子は登場しないことでしょう。

第九章　中世の終焉

中世という時代は、前期、中期、後期と分けることができます。まず前期は「ゲルマン民族のキリスト教化」が一大トピックスです。そして中期は「教皇権の隆盛とその維持」ということになります。では、後期は何になるでしょうか。今回は、中世後期の歴史の流れを共に見ていきましょう。

■アナーニ事件

教皇と皇帝との対立は、中世においてはしばしば起こりました。しかしその対立構図は、十一世紀の「カノッサの屈辱」以来、次第に変化していきました。一三〇三年の「アナーニ事件」はその変化を決定的なものにしたと言えます。

時の皇帝フィイリップ四世は、自国フランス内の教会領に課税をしたいと考えていました。しかし教皇ボニファティウス八世は、「教会のリーダーであると同時に社会のリーダーである教皇の領土に課税するとは何事か！」と言い放ったのです。両者の意見の相違は、そのまま対立関係を表すものとなりました。

ボニファティウス八世は、今までの教皇がそうであったように、「破門状」をちらつかせながらフィリップに迫りました。しかし、フィリップは教皇を拉致監禁してしまったのです。教皇はそのまま乱心し、憤死してしまいました。

この「アナーニ事件」は、「カノッサの屈辱」の力関係を全く正反対にしたものでした。十一世紀には教皇の権威が絶大で、皇帝すら太刀打ちできないことを「カノッサの屈辱」が象徴しました。しかしそれから二百年余りの年月が流れ、両者の立場が全く逆転してしまったのです。つまり、この事件は次のことを端的に表しています。

・教皇の権威が弱体化し、皇帝が力を得てきたことを表す象徴的な出来事であった。

やがてフィリップ四世は、憤死した教皇の代わりとして自分のいいなりになる人物を抜擢し、教皇庁をローマのバチカンから自国フランスのアビニョンへ移してしまったのです。しかもその資金をすべてバチカンの教皇庁に出させたのでした。この一見暴挙とも思えるような行動は、教会の一枚岩を崩すのに大いに有効でした。教皇庁の移動は遷都に匹敵するほどの大事業ですから、そこに投入される費用は莫大なものです。その費用をすべて教皇庁に負担させるということは、教会が持っている財力を疲弊させるのに役立ちました。フィリップの狙いはこれでした。

・ローマのバチカンに貯め込んであった財産を吐き出させ、教会の弱体化を図る。

■大分裂

その後一三七八年に教皇グレゴリウス十一世が急死し、後継者としてウルバヌス六世が立てられた時、イギリスと神聖ローマ帝国はフランスの横暴をこのまま見過ごすことはできないという思いで一致しました。というのも、今までの教皇はラテン人でしたが、ウルバヌス六世はフランス人だったからです。教皇庁を持って行かれ、しかも教皇自身をもフランス人に取って代わられるという事態が生じてしまったのです。

すべてをフランスの手中に収められてしまうことに危惧を感じたイギリス、神聖ローマ帝国は、何とかこの流れにくさびを打ち込みたいと願いました。特にイギリスは、当時英仏戦争を戦っている最中でしたから、フランス抑止に必死でした。そして考え出したアイデアは、ローマにイタリア人教皇クレメンス七世を立てることでした。

ですからこの当時、教皇が二人存在していたことになります。そしてフランスのアビニョンとローマのバチカンに立てられた教皇は、お互いをお互いで破門し合うという事態を引き起こしてしまったのです。これを「大分裂（シスマ）」と言います。そしてこの事態が意味するのは、次のことです。

■3人とも譲らず、大混乱に…

・世俗の権力に振り回される教会の姿が浮き彫りになってきた。

■さらなる混迷へ

さて、教会がこのような「大分裂」の状態をそのまま容認することは絶対にできませんでした。そこで教会関係者は、古代に教会が何かを決める時に採用していたシステムをもう一度復活させました。それは教会会議です。かつて教会は、ニカイア会議やコンスタンティノポリス会議など、物事を決定していく時に多くの教職者が一同に会して議論するというスタイルを採っていました。中世の教会関係者たちは、今回の事態をもこのシステムによって切り抜けようとしたのです。

そして一四〇九年、ピサ会議が開かれました。そこで決まったことは、両教皇には辞めてもらい、新しい教皇を立て、そして教皇領を再びローマに戻すというものでした。そこでアレクサンデル五世が擁立されました。これで一件落着かと思われましたが、しかし事態はさらにややこしくなっていったのです。

ピサ会議の決定に対し、両教皇は絶対に辞任しないと主張し、この決定を受け入れないと宣言したのです。結果、なんと三人の教皇が立ち並ぶという異常事態が生まれてしまいました。これではたまらないと人々は、再び教会会議を開くことにしました。それが一四一四年のコンスタンツ会議です。そしてこの問題は、ここで一応の決着を見ることになります。一人の新しい教皇を選び、ローマに教皇庁が戻されるということで落ち着いたのです。その後、一四三一年にバーゼル会議が開かれて、細かい事柄が決定され、この一連の騒動は決着しました。

アナーニ事件に端を発した教皇の乱立事件は、教会の堕落ぶりを顕わにしたと同時に、まるで茶番を演じているような滑稽さによって、教会権力の弱体化、教皇権の失墜という事実を広く知らしめてしまったのです。

■異端・分派の取り締まり

「大分裂」をきっかけに開かれた三つの会議は、中世における教会の建て直しを目的としたものでした。では、その中身はどのようなことが話し合われたのでしょうか。もちろん教皇乱立の問題を解決するための方法を考えたのですが、それ以外に世の中の混乱を少しでも減らすための行動が模索されました。その流れの中で、人々が目を付けたのは「異端・分派の取り締まり」でした。

教皇権が絶大だった時は決して表立って行動することのなかった分派運動が、次第にあちこちで目立ち始めていました。教会が以前のようなしっかりとした一枚岩となるためには、これらの運動を共通の敵として排斥する必要がありました。そのため、彼らは努めて分派運動主導者たちを捕まえては、審問にかけ始めたのです。これによって、教会が以前の繁栄を取り戻せると考えたのでしょう。

しかし、事態はもっと深刻でした。なぜなら、今までの教皇に対する反発やアナーニ事件のような反乱は、すべてカトリック教会の枠内での出来事でした。言い換えれば、（主観的な行き過ぎがあったにせよ）教会を改革しようとする方向性を持っての運動だったのです。ところが十二世紀末から始まった分派運動は、「カトリック教会」という枠組みそのものを否定するような潮流を形成し始めていたからです。

この流れは、カトリック教会によって摘み取られるはずでした。しかし時代を経る毎に、カトリックそのものを否定する過激な主張は、次第にエスカレートしていきました。そして主導者の意志を受け継ぐ後継者たちは、次第にその数を増やしていったのです。やがて一五〇〇年代半ば、ついにこの流れは決して否定できない大きなうねりとなって、人びとの前に立ち現れてくることになるのでした。

■主立った分派運動

歴史を先へ進める前に、分派運動についてもう少し詳しく見ていきましょう。十二世紀末、ドイツにカタリ派という一派が誕生しました。彼らは厳格な生活を旨とし、堕落し腐敗したカトリック教会とは一線を画するものになりたいと願いました。この禁欲的なグループは、イタリアに伝播しました。そして「アルビー派」として一つの流れを形成したのです。フランスは、ワルドーという商人が托鉢と説教で訴える民衆運動を展開しました。これらの流れは、多少の時間的な前後はあったにせよ、そのきっかけとなったのは、教会の堕落でした。

十四世紀半ば、オックスフォード大学の教授であったウィクリフが次のことを提示しました。

・ウィクリフ「一番大事なのは聖書であって、教皇などというものは必要ない。」

彼は、カトリック教会で讃えられている聖人たちを崇拝することも否定しました。また、聖餐式の時に秘蹟（奇跡）によってパンとぶどう酒がキリストのからだと血に変わるとする「実体変化説」を誤りであると大胆に主張しました。

これらは教会にとって大切な教理でした。それらをすべて否定するウィクリフは、端的に言ってカトリック教会を全面的に否定したのです。民衆は彼の提唱を受け入れました。そして「ロラード派」という集団が生まれました。

十四世紀から十五世紀にかけて、このロラード派の流れは東ヨーロッパ（ボヘミア）に飛び火しました。その地でヨハン・フスという人物が、この流れを真正面から受け止めました。そして次のことを提唱したのです。

・ヨハン・フス「教会とは、信じる者の共同体であって、教皇を頂点とする組織ではない。」

そして彼もまた教皇を否定しました。

教会はこの主張を捨ててはおけません。そこで一四一四年のコンスタンツ会議で、教皇問題を語り合う傍ら、ヨハン・フスの火刑を決定したのです。また彼が信奉していたウィクリフの墓を暴き、その身体（死体）を川に流してしまったのです。しかしフスを信奉する民衆も負けてはいませんでした。追従者たちは、「フス戦争」を起こし、フスの遺志を継いでいこうと懸命に抵抗しました。

ところで「火刑」というのは、当時の人々にとっては極刑でした。なぜなら、人々はイエス・キリストが再び地上に来られる時、元の身体で甦ると信じていたからです。その身体がないということは、次のことを表していました。

・火刑は、キリストの救いに与り復活するための身体がなくなるため、「完璧な滅び」だった。

この後、多くの分派運動指導者が火刑に処せられるようになります。まるで寄せては返す波のように、カトリックに対する分派運動は後を絶たず、その首謀者は「異端者」として処刑され続けていきました。しかし、時代の流れはもはや中世前期から中期にかけての繁栄をもたらすことはありませんでした。むしろカトリックを否定する動きが次第に高まりつつあったのです。

■教会刷新の動き

教会が世俗権力と結びつき、次第に教会本来の在り方からずれていく中世前期、カトリック内部では教会を刷新しようとする動きが始まりました。それは修道院から起こりました。中でもクリュニー修道院は、その先鋒でした。クリュニーは教会の中心人物である教職者の在り方をとらえ直そうとして、修道院を教職者養成の機関と位置づけました。彼は、教会が持つ霊的な部分を守ろうとしたのです。

この改革はある一定の成果を挙げました。しかし、依然として教会が政治的に権力を持ち続け、本来の目的を忘れて、ますます物質的に豊かになるに連れ、修道院もまたこれに追随していったのです。これではいけないと思い立ち、再び修道院を改革しようとする動きは十一世紀から十二世紀にかけて起こってきました。これは次のようなことを目的としていました。

・修道院のリバイバル運動……祈りと瞑想によって新しい修道院のスタイルを作る。

フランスのブルーノによる修道院、そしてロベールによる修道院（シトー修道会）がそれに着手しました。彼らの運動は、次第にヨーロッパ各地に飛び火していきました。瞑想して神と語り合うことを求めたベルナルドスや、スペインでドミニカスが始めたドミニコ修道院、そして新たに始まったカルメル修道院、アウグスティヌ修道院などがそれにあたります。

中世という時代は、次第に世俗化し、国家との結びつきによって、過度なまでに権力を手にした教会の時代でした。しかしその権力の陰で、教会本来の姿を取り戻そうとする動きは静かに育まれていたのです。これらの一連の動きから、歴史は私たちが一方向へ極度に突き進む時、必ず揺り戻す力を用いてバランスを取ろうと図るものであることを教えてくれます。「中世後期」は、そう言った意味で「長きに渡る一極集中体制の崩壊と新たな時代の幕開け」と言うことができるでしょう。ここに至って、中世はその役割を終え、次の時代へとバトンを手渡すことになります。

コーヒーブレイク③アッシジのフランチェスコは人気者？

修道士の中で最も有名な人物は、アッシジのフランチェスコでしょう。二十一世紀の現代でも彼の人気は衰えず、映画や小説に度々登場します。彼の特色は、イエスの言葉を文字通り「すべて行った」ということです。

フランチェスコは、裕福なイタリア商人の息子として生まれました。彼は都市国家同士の戦争にかり出され、そこで捕虜となります。そして福音書によって回心体験をし、イエスの生き様に倣おうと決意するのでした。帰国後、彼は持ち物をすべて人々に分け与え、野に出て、無人となった修道院に住み込みました。

彼の生き方に感動した人々が次第に多く集まってくるようになり、彼の存在はヨーロッパ全土に響き渡ったのです。やがて教皇に認められ、正規の教育を受けていないにも関わらず、彼は修道士として認定されたのでした。

フランチェスコに関する伝説は多々ありますが、その中でも特に有名なのは、キリストと同じ十字架の傷跡が手と足に与えられたとする「聖痕伝説」です。イエスの生き方をそのまま実践したことの「証」を神からいただいた、ということでしょう。

フランチェスコはなぜ人々の注目を集め続け、人気が衰えないのでしょうか。当時は、教会が次第に堕落していく中で、自分たちの汚れを取り除き、希望を与えてくれる具体的な見本が必要でした。この民衆心理が、フランチェスコを「ヒーロー」にしていったのでしょう。

暗い世の中だからこそ、人は光を求めるのです。

おすすめ DVD

『フランチェスコ（1989）英』と
『ブラザーサン・シスタームーン（1972）伊』

聖人フランチェスコを題材とした映画は多い。1980年代末にミッキー・ロークがプヨプヨな体で熱演した作品が有名。あんな太った修道士はいないと思うのは、私だけではないはず―。

1972年の『ブラザー…』の方は、ほんわかした雰囲気に仕上げられている。両方をぜひ観くらべて欲しい。

第十章　中世の信仰と神学

中世について、その政治的な部分、そして修道院などその背後で行われてきた活動について見てきました。ここで少し視点を変えて、神学的な部分について見てみましょう。

■中世の神学

古代は、キリスト教の基本的な認識が確立された時代です。それは具体的に言えば「罪とは？」「救いとは？」「教会とは？」「人とは？」という事柄について考え、それに答えていったということです。アウグスティヌスに代表される神学者たちは、それらの答えを礼典や信条といった形に残していきました。では中世の神学とはどのようなものでしょうか。一言で言えばこのようになります。

・中世の神学は、「真理」へのこだわりによって貫かれている。

キリスト教社会は、教会が主体性を持って社会を作り上げるということを目標としていました。それは古代においてキリスト教会内で培われた「真理」を、現実の生活に適応させるということを意味していました。そこで教会は、知的能力の高い人々のために特別な学びの場を作ろうとしたのです。端的に言うとこうなります。

・キリスト教の「普遍社会」を実現しようと考え、そのための手段として「学びの場」を教会が提供するようになった。

教会は政治面だけでなく、教育面においても、人々を指導する立場になりました。そこで教会を通して、知的能力の高い人々が学問を追究する場としての「大学」が形成されていったのです。現実社会に神の国を実現させるためには、一人でも多くの人々が「真理」を知り、それを探究することが求められました。特に修道院は、現代の「学校」の原点となり、社会的な認知も受けました。

一一〇〇年代、イギリスやフランスを中心にして次のような大学が設立されました。

・イギリス……オックスフォード大、ケンブリッジ大
・フランス……パリ大
・イタリア……ボローニャ大

そして大学で教えられた科目は、次のような三段階のレベルに分けられていました。

①一般教養……文法、修辞学、論理学
②応用……幾何、音楽、天文、算術
③博士……神学、法学、医学

もちろん神に関する「真理」を追求するために作られた学びの場であることから、「神学」が最高の学問であることに疑いの余地はありませんでした。大学で学ぶ人は、一般教養、応用コースの科目を全て勉強しなければ、博士コースに進めませんでした。博士コースに至って初めて「神学」か「法学」か「医学」を選択することが許されました。当時の学問のことをまとめて「スコラ学（ラテン語で『学ぶ』の意味）」と言います。

ギリシア哲学の影響を受けていた人々は、プラトンやアリストテレスの哲学を援用しながら神学を 構築していきました。彼らが神学について前提としていた考え方は次のようなものです。

・神が語るものは真理である。我々が理性で考えるものも真理である。だから信仰と理性とは一致するはずである。

■ギリシア哲学者の応用

彼らは、自らの信仰と理性とを用いて、神に出会おうとしたのです。そして信仰と理性のどちらを優勢に見るかについて、ギリシアで活躍した二人の哲学者の考え方を用いました。

①プラトン……信仰を持つことによって、神の世界に至ることができる。

プラトンは、すべての物事には二つの側面があると言います。そして地上において我々が理解できるのは、真実なるものの「写し」であって、「真理」は霊的なものであり、神とともにあると考えます。そして「写し」として現実の世界にあるものは、霊的な世界にある「真理」よりも幾分劣ったものとみなされました。すなわち、「真理」と「写し」とはイメージでつながっているということになります。

そして中世の学者たちは、このプラトンの哲学を応用して言います。「信仰を持って神に近づくことによって、私たちの現実（写し）の世界から、必ず神（真理）の世界に至ることができる」と。

②アリストテレス……理性と理解の積み重ねで、神の真実に出会うことができる。

一方アリストテレスは、プラトンの逆を言いました。物質の世界と霊の世界とは、イメージといった移ろいやすいものではなく、確実につながっているというのです。そして、現実の世界で触れるものは、霊の世界においても触れているのだと捉えたのです。プラトンが現実を「真理」より幾分劣った「写し」と捉えたのに対して、アリストテレスは、現実の世界と霊の世界とは全く同等で、互いにつながっていると捉えたのです。

この考えを援用した学者たちは、現実の世界の中に、神と結びつくものがあるのだ、と考えました。「地上にあるものは、真理に結びつく実体である」ということです。そして、現実の世界にそれらがあるということは、理性や理解をもって、神の「真理」に出会うことができると結論したのです。

神学的な探究が深まる中で、プラトン的なものよりもアリストテレス的なものの方が支持されるようになっていきました。なぜなら、地上にあるものを通して、神の世界にあるものに触れることができるということは、教会の形成にとって非常に好都合だったからです。

例えば、教会は目に見える建物であり、具体的な組織です。このような環境下で過ごす中世の人々の歩みは、それらを通して天に存在する「神の国の建物やしくみ」に触れていることを意味しました。また「洗礼を受ける」なら、それは単に水の中に入っただけではなく、「神の国の市民となった」ということと同義でした。

■トマス・アクィナスの神学

中世の神学をまとめた人物として、トマス・アクィナスの名を挙げることができます。彼は自身の神学大系を一冊の本にまとめました。『神学大全』がそれです。彼が本の中で主張していることは、次の二つです。

①人間の理性は、神の真理を論証することができる。
②信仰と理性は、必ず同じ真理に到達することができる。

彼は、神が持っている世界と人間の歩んでいる世界とを結びつけ、その接点に真理の教えがあると主張しました。この考えを受け入れた中世の人々は、教会について次のような考えを持っていました。

・教会の教えに従うことは、神の教えに従うこと。だから素直に信じて、疑わないことで救われる。

つまり、真理の教えを人々に知らしめるのが教会の役目であり、神と私たちとを結びつける「真理」は、教会にしかないということになります。教会は、神学的な側面からもその地位を高めることになったのです。ところで真理が教会にしかないというこの考え方は、言い換えれば次のことを意味します。

・教会以外にあるものは真理ではなく、また教会の教えに反するものは、すべてが悪しきものである。

そして、物事を教会の論理で解釈し、最後は紋切り型の口上で、誤り（と思われるもの）を断罪する、ということが平気で行われたことを意味しています。

少し先の話ですが、中世教会の名残を我々は知ることができます。近世から近代にかけてガリレオが「地動説」を唱えて「教会の真理」と対立した時、彼は異端として断罪されました。もちろん後に彼の名誉は回復されましたが、ガリレオを裁いた時の状況はこの時の考え方に端を発しています。

教会はこのトマスの考え方を大いに賞揚しました。

しかし、当時の人々の中には、このスタイルに危惧を抱いた人がいたのも事実です。余談ですが、当のトマス・アクィナス自身も、晩年に『神学大全』を書くことを突然止めてしまいました。その理由について彼は、最後に「やはり神には至れない……」と告白したと言われています。

そのような戸惑いの中、むしろ個人的な感情や感覚、経験によって神を知ることはできないか、と考える人々が登場してきました。彼らは「神秘主義者」と呼ばれます。有名な人物として、クレルボーのベルナルドスが挙げられます。彼の主張は次のようなものです。

・ベルナルドス「瞑想を重視し、心で神を理解しよう」

また「神の前に自分を昇華させる」「静けさの中での神と交わる」などと述べ、知的な作業によってではなく、むしろ内省的な働きかけを通して神に至る道があるということを広めました。

またエックハルトという神学者は、「無の境地に達すると神の霊が注がれ、神が私たちの中に誕生する」と語っています。

■カトリック教会の特色

この時代、カトリックには、特色あるいくつかの礼典が生まれました。これを「七つの秘蹟」と言います。現在でもカトリック教会で行われており、これらを行うことによって、神の超自然的な働きかけが地上に注がれると考えられています。

七つの秘蹟を簡単に説明しましょう。

①洗礼……神の国に入るためのもの
②聖餐……キリストの血とからだをいただくこと
③堅信……神に従っていくという決心をすること
④告解……罪を赦してもらうために告白すること
⑤叙任……教会の教職者として、神の選びをいただくこと
⑥結婚……神によって合わせられた男女が結ばれること
⑦終油……死んだ後、天国に入ることの保証となるもの

これらはすべて儀式が行われる時、神がそこで働いてくださると信じられていました。つまり、教会には神が宿り、儀式は天国に結びついているため、現実的なものの中に神秘的・霊的なものが宿っていると考えたのです。

■聖餐式

際だって特徴的なのは聖餐式です。カトリックは、地上のものと天のものが一対一で対応しているととらえるため、聖餐式のパン（地上にあるもの）はキリストのからだ（天にあるもの）そのものとなり、ブドウ酒はキリストの流された血潮となるのでした。もちろん物質的な変化を遂げるということではありません。科学的に言うなら、それはあくまでパンであり、ブドウ酒です。しかし、カトリックは次のようにとらえます。

・パンとブドウ酒の中に、キリストのからだと血が時空を超えて現在する。

この前提に立つことで、冗談のように見えて実は真剣な、とある光景がしばしば礼拝の中で見られました。それは、礼拝の最中にこぼれたブドウ酒を司祭が下で舐めて拭き取るというものです。

パンは固形物ですから、口に入ればそれで良いですが、ブドウ酒は液体のため、こぼしてしまうことがしばしば起こりました。これは教会にとって絶対にしてはならない「過ち」でした。なぜならそのぶどう酒は、「キリストの血」であるため、それを無駄にしたということは、キリストの血が無駄に流されてしまったということになるからです。司祭はしばしば、泣きながら床にこぼれたブドウ酒を舐め、そして舐めながら悔い改めの祈りを捧げたと言われています。そして、そんなことにならないために、彼らはブドウ酒に関しては、教職者が代表していただくという妙案を編み出しました。

このように、パンがキリストのからだであり、ブドウ酒がキリストの血であるということになると、実は大変な奇跡（？）が毎回の聖餐式で起こることになります（これは、前回取り上げたウィクリフがおかしいと指摘していた点です）。しかしこの時はまだそのことを面と向かって言う人はいませんでしたし、パンやブドウ酒が実際に変化する（実体変化説）と考えられていました。

■聖人
また、カトリックには聖人を崇めるという思想があります。それは、社会の現実の中で生まれてきた救済措置であると言えます。
・聖人は、自分の魂を救う以上に何倍もの徳（神の恵み）を積み上げた人である。
「徳」は霊的なものです。しかし聖人（と呼ばれる人）が行った行為は実際の出来事です。現実の世界と神の世界がつながっているわけですから、聖人たちの行為を覚えておくことで、逆に「徳」を現実の世界で管理することが可能だと考えたのです。そしてその徳は、教会に管理運営が任されていると当時は考えられていました。

そしてこの聖人偶像崇拝の思想は、聖人自身としての徳だけでなく、彼らが地上で用いていた日用品（マント、杖、コップなど）が価値あるものとして受け止められるようになりました。映画『インディ・ジョーンズ　最後の聖戦』に登場する「聖杯伝説」などは、この良い一例でしょう。さらにキリストが生まれた地、活躍した土地は「聖地」として、人々にとって特別な場所となりました。そして聖地に巡礼することは、救いに与る非常に大事な行為と見なされるようになったのです。

教会が聖人の徳を管理する。その考え方の行き着いた先は、免罪符の発行でした。免罪符は、聖人の徳が入ったお札を買うことにより、その功徳で天国へ入れるとするものでした。発想はこの聖人偶像崇拝から来ていたのです。

■煉獄

人々は、聖人の徳によって救いに至ることを求めました。しかし聖人の「徳」だけでは、決して天国に入れないと考える人が多くいました。そこで教会は、彼らが罪のゆえに一定期間苦しみ、その後、天国へ入ることができるという教えを考案しました。それが「煉獄」

です。カトリックは「行為によって救われる」わけですから、存命中に罪を犯してしまった場合、その罪の償いをする機会がなければ、たちどころに地獄行きということになってしまいます。そこでこのような地上と天国との中間に特別な場所を設けたと言えるでしょう。

■マリア信仰

ご存じのようにカトリックでは、イエス・キリストとともにマリアを崇拝します。これは民衆レベルから起こってきたことで、イエス・キリストが罪ある人間を裁く怖い方である、というイメージで受け止められていたことに始まります。「信じたら救われる」という愛のイメージよりも、「我々を裁く方」という恐怖のイメージが先行していたのです。

■そんなに怒らないで…と訴えるマリア

そこで人々は次のように考えました。

・イエスの母、マリア様にお願いして、裁きを軽くしてもらえるように口利きをしていただこう。

やがてマリアがイエスとならぶ神のような存在へと祭り上げられていったのは、想像に難くないことでしょう。

このようにして中世社会は、神学的な面からも教会を支え、教会の都合、そして人々の都合に合わせて、様々な「真理」が形成されていきました。それはすべて「普遍的な教会」を形成するためだったのです。

第十一章　ルネッサンスと宗教改革

中世が普遍、真理を現実の社会の中に求め続けた時代であったとしたら、その後は真理そのものの基盤を大いに揺るがす時代となりました。それはものの考え方、物事のとらえ方を制限していた「真理」という足かせが人々から取り外され、人間そのものに宿っている才能や能力に注目しようとする動きが起こってきたことを意味します。

■ルネッサンスの発生

一三〇〇年代から約二百年間、文学や美術に関して人間性の解放と自然への回帰を目指した一つのうねりがイタリアで起こりました。ルネッサンス（文芸復興運動）と呼ばれるこの流れは、多くの芸術作品を生み出すとともに、数々の天才たち（ダンテ、レオナルド・ダ・ヴィンチ、ミケランジェロら）を輩出しました。ルネッサンスが起こった背景には、次のようなことがありました。

・十字軍以来開かれた通商路から、東方文化が入り込んできた。

具体的に伝えられたものは、火薬、歩兵用の鉄砲など、今での封建社会が築き上げてきた騎士道精神や、戦争スタイルを根底からくつがえすものでした。もはや今までのような安定した社会体制は望むべくもない状態になりつつあったのです。

この他、封建社会にはあり得なかった発明、発見が次々と起こってきました。ルネッサンスによって人間としての自由度が増し、その中から自由な発想、新しい発見によって社会全体が躍動感を取り戻したと言っても過言ではないでしょう。

■グーテンベルクの印刷機

その中でも特に際立っていたのは、グーテンベルクによる印刷機の発明です。印刷技術が導入されるまで、聖書は写本でした。そして一般の人々が聖書に触れる機会は、町や都市に一つだけある「福音書の写し」という程度のものでした。ですから聖書に触れたことがない、見たこともないという人がたくさんいました。そんな時に、写本をもとにして同じものを何冊もつくることができるという技術が生み出されたのです。これによって聖書を始め、多くの文書が出回るようになりました。

さて、印刷技術の発明と相まって起こされた試みとして、聖書の原典に立ち帰り、オリジナルからひもとこうという研究がありました。当時、人々が用いていたのはヒエロニムスが訳した「ウルガタ聖書」でした。この聖書は、ラテン語に訳されたものでしたから、聖書のオリジナルなメッセージを皆が理解することはできませんでした。

■人文学者エラスムス

そこでオランダの人文学者エラスムスは、聖書をギリシア語で読むことを提唱しました。これは当時としては画期的なことでした。ラテン語聖書（ウルガタ）を使うことは「真理」であり、その枠から外れることは誤りだと考えられていた時代に、教会が提示する聖書を別の形にしてしまうということは、以前なら絶対に起こり得ないことです。しかしルネッサンス時代、自由度が増していく中で、聖書をより分かりやすく理解するように、という流れが起こってきたのです。

またエラスムスは、人間をすべての中心として据える、いわゆる「ヒューマニズム」の観点から、『痴愚神礼賛』を著しました。これは、批判的な見方で教会について書かれたものです。

■宗教改革の始まり

宗教改革から始まる時代、これを「近世」と言います。一五〇〇年から一六五〇年までの百五十年間のことです。その発端は、一五一七年十月三一日、一人の修道士がヴィッテンベルグ城教会の扉に壁新聞のようなものを貼り付けたことです。この修道士こそ、マル

ティン・ルターです。そしてその壁新聞こそ「九五箇条の提題」と言われる告発文でした。

当時、教会は免罪符を発行していました。それは煉獄に行かなくてもよいように、と人々に配慮したためであると表向きは言われていました。しかし本当の狙いは、別のところにあったのです。それは、サンピエトロ寺院の改修のため、工事費用が必要だったのです。教職者の中には、臆面もなく「あの寺院の改修費として免罪符を買えば、きっと天国に行くことができます」と語る者まで出てくる始末でした。この状況に危惧を抱いたルターは、教会の誤りを九十五箇条にまとめ、貼り出したのです。

ここで覚えておきたいことは、ルターが「宗教改革」を起こしてやろうと思って行動したのではないということです。彼は目の前の現状に対し、「これではダメだ」と声を発しただけです。しかし、歴史の奥深いところは、往々にしてこのような些細な出来事から大きな転換期を迎えるということです。

・歴史の流れは、必ずしも大仰な出来事として起こるわけではない。当事者たちにとっては、小さな出来事であったとしても、後の人々から見れば、転換期であったと見なすことができる。

■塔の体験

ルターは、このような事件を引き起こすまでに、内面に大きな葛藤を抱いていました。それは、神に対する恐怖でした。彼はこの恐怖（私は神に裁かれるに違いない）を何とか払拭しようとして、難行苦行を自らに課していました。膝で歩き回ったり、完全断食（水も飲まない）をしたりしました。しかし、それでも彼の恐怖は消えません。しかし、ある時彼は不思議な体験をします。それが何であったかは分かりません。ただ彼は「塔の体験」とだけ表現し、そこで何か霊的な変化が起こったことを告げています。

この「塔の体験」以後、彼はイエス・キリストの福音によって、神の義が私たちに与えられていると説くようになりました。つまり、人間は自分の努力や行いによって救いに至ることはできず、むしろ私たちを聖なるものと見なしてくれる「神の義」をいただくことによって、「聖い存在」と認められると主張し始めたのです。すると、信仰を持つことによって「神の義」が与えられることになりますから、人間そのものが聖くなるための頑張りは不要になります。この考え方を「信仰義認」と言います。

ルターの主張は、次のことを言い表しています。

・普遍を追求する世の中（カトリック）にあって、一人一人の信仰によって救われることができる。

■ヴォルムス会議

彼の書物は、全ヨーロッパに広められました。そして教会に関わる人々は、あのフスたちのような分派的な活動になるのではないか、という危惧を抱きました。そこで教会は、ルターを討論会に召還しました。一五二一年のヴォルムス会議がそれです。当時の皇帝、カール五世がルターに審問をしました。そして書物の否定を命じられたルターは、しばし考えた後に次のように語りました。

・ルター「神が真実と語るものを、私は否定できない」

■ルターの業績

ルターは、神聖ローマ帝国の前で「聖書のみ」「信仰のみ」の姿勢を貫きました。普遍的な単一社会の中で、ルターは個人的な体験・感動から得られた事柄を優先したのです。

これは当時の社会では稀有な存在だといえましょう。その後、彼に裁きが下り、国外追放処分が言い渡されました。そして彼の著作は発禁処分となりました。ルターは全く身の保証がないまま、放り出されたのです。彼は盗賊にしばしば襲われたと言われています。

ある時、ルターが数人の刺客によって殺されたという噂が流れました。人々は、ルターの命運もついに尽きたかと思いました。しかしそれは、選定侯フリードリヒの作戦でした。ルターが殺されたことにして、実はヴァルトブルク城にかくまう計画だったのです。城内でのルターは、選定候の庇護の下、ギリシア語原典聖書をドイツ語へ翻訳し始めました。それには二つの理由があります。

①「聖書」を皆が読んで分かるものにしたかった

当時の人々にとって、「聖書」は全く分からない難解な書物でした。それは、聖書がラテン語で書かれていたからです。もちろん一部の教会指導者たちはラテン語を研究していましたので、理解できる部分もあったでしょう。しかし一般の人々は、教会で聖書が朗読されても何の話か分からなかったのです。そこでルターは、ドイツ国民が読んで分かる聖書を提供しようと考えました。

②「聖書」そのものに立ち返りたかった

ルターは、カトリックが聖書の教えをかなり逸脱させていると感じていました。聖書から抜き出した教えであるはずのものが、いつしかその枠外へと飛び出てしまい、歪曲されてしまったことを危惧していました。そこで彼は、オリジナルな聖書のメッセージを正しく提示しなければならないと考えたのです。

■万人祭司説

さらにもう一つ、ルターが述べたことで、忘れてはならないことがあります。それは、全ての人が神の前に祭司であるとする「万人祭司説」です。旧約聖書の時代、祭司とは一部の限られた特権階級でした。それは中世のカトリック社会においても同じでした。しかしルターは、この特権意識を否定したのです。彼は、私たちは身分の違いに関わらず、皆神の前には平等であり、各々に使命や仕事がある、と考えるようになっていったのです。

■ルター

このことは発展的に、聖餐に関する部分で特徴的です。前回取り上げたように、聖餐式のブドウ酒とパンには、キリストの血とからだの本質が宿ると考えられてきました。これをカトリックは、七つの秘蹟の一つとしています。しかしルターは、毎回聖餐式のたびにキリストが十字架につくのはおかしいと考えたのです。キリストの十字架は、もっと力あるものであり、それは歴史上たった一回だけの出来事で十分だと主張したのです。

ですから聖餐のブドウ酒とパンは、キリストの血とからだを「指し示す」ものであって、決してその物質に価値があるわけではないのです。そうなると、多くの人々、しかも祭司職の身分にある者だけでなく、平民たちもこの聖餐に与る「祭司」として任じられているという解釈が可能となります。

■ルターが与えた影響～農民戦争

これらルターの主張は、ヨーロッパ各地で大きな反響を呼びました。まず神聖ローマ帝国の下級騎士団が反乱を起こしました。また「農奴」と呼ばれる最下層民が蜂起し、「農民戦争」を引き起こしました。当初ルターは、農民たちの反乱に同情的でした。しかし農奴のあまりの粗暴さと争いの長期化から、彼はいつしか彼らを弾圧する側に回ったのでした。ルターは決して争いを引き起こそうとは願っていなかったからです。

・ルターは結果的に社会変革の先鋒と評価されたが、彼自身は決して「革命」を願っていなかった。

ルターは、教会の体制や行いについては反対しました。しかし皇帝を中心にして、諸侯たちが神に従うという「秩序」を目指していたため、彼は国や国家体制には従順でした。そういった意味で、下級騎士の反乱や農民戦争などはルターにとって「秩序を乱す悪行」としか映らなかったのでしょう。

余談ですが、後に国王体制を採った国々では、ルター派が国教となっています。これなどもルターの信仰姿勢が、国家体制の安定に大きく貢献したということの証拠です。

■ルターが与えた影響〜様々な分派の登場

その後ルターの書物に触発されて、改革者が次々と起こされました。彼らは主に自由都市で活躍しました（詳しいことは、次章で学びましょう）。これら一連の動きは、ヨーロッパ各地で内乱的な戦争を発生させました。特に神聖ローマ帝国で勃発した「三十年戦争」は、帝国内の人口を三分の一減少させる激しい戦いでした。最初に蜂起したルター派は、カトリックが押し切ろうとした時に抗議（プロテスト）しました。ここから、カトリックに対して反抗する諸グループをまとめて「プロテスタント」と呼ぶようになりました。最初のプロテスタントはもちろんルター派です。しかし、他の改革者たちもまた抵抗勢力であったため、彼らもまた「プロテスタント」と呼ばれるようになったのです。

一五五五年にアウグスブルクの宗教和議において、やっとカトリックとプロテスタントの共存が認められました。そして領主たちは、カトリックかプロテスタントを自由に選べるようになり、各地に領主教会が誕生しました。そして部下は領主の宗派に従うこととなったのです。もちろん、部下が領主の宗派に従えないという時には、その土地を出て自分の宗派に合った領主のところへ行くことが認められました。

宗教改革から始まった動乱の時代は、わずか百五十年にも関わらず、中世の千年間にも優るとも劣らぬ出来事を引き起こしていきます。特にルターが「九五箇条の提題」を発表して以来、一時の平和が与えられるまでには四十年という年月が必要でした。次回はその四十年間と、ルターの影響を受けた様々な改革者たちについて学んでいきましょう。

コーヒーブレイク④ ルター人気の立役者は、グーテンベルク！

宗教改革当時、ルターが書いた著作には、次のようなものがあります。

『ドイツのキリスト教諸侯に与える書』　『教会のバビロン捕囚について』
『キリスト者の自由』

それまでなら一人の作家が著した書物は、せいぜい数十冊程度複写される（手作業で！）だけでした。しかしグーテンベルクの印刷技術が発明されて以来、大量に複製を生み出すことが可能になり、広く人々の目に触れるようになったのです。これは当時の「ＩＴ革命」です。

中世から近世における学問と言えば、やはり神学でありましたから、文字として残されたのは、多くの信仰書でした。そして印刷された小冊子は、ヨーロッパ中に彼の考え方を言い広めるために役立ったのです。このような背景を考えると、なぜルターは宗教改革の第一人者となり得たのか、その理由の一つとして「印刷技術の発明」は外すことができないものと言えるでしょう。

「すべての営みには時がある（伝道者の書三章一節）」と聖書にありますが、まさにそのとおりです。「宗教改革」は、ルネッサンスをはじめ様々な発明品が整えられつつある一五〇〇年代だからこそ起こり得た動きであると言えるでしょう。

第十二章　宗教改革とその指導者たち～ルター・ツヴィングリ・カルヴァン～

「宗教改革」はルターの働きかけによって始まりました。しかし彼に「宗教改革」という名の歴史的運動を起こしたいという野望はありませんでした。ただ彼は自分のできうる限りのことをやったまでです。当初彼の活動は、ごく限られた地域での運動でした。しかし彼に同調し、また彼が目指したものを自分たちの地域でも実現したいと願う人物が、各地に起こされていきました。

ルターを始めとする改革者たちは、各自の持つ能力・才覚によって、その地方に合った形の「改革」を推し進めていきました。ルターが当時の社会体制・政治的構造を改革の対象とは考えなかったのに対し、ルター以外の改革者に共通していた思いは、次のようなものです。

・カトリック教会とは違う社会体制を提案し、社会全体を改革したかった。

彼らが活躍したのは、自主自律の精神が溢れ、やがて自由都市として商工業の中心を担う地方都市でした。つまりカトリックの支配が弱まり、自由度が増す中で、改革者たちの持つオリジナリティが各国の宗教改革を推し進めていったということです。

■ツヴィングリ

スイス東部のチューリヒ。そこは山間の小国であり、カトリックの支配が及ばない比較的自由な都市でした。そこにツヴィングリという人物が登場します。彼はこの都市を中心として、次のような聖書信仰を提唱しました。

・「キリストのみ、聖書のみ、信仰のみ」それに合わないものはすべて否定する。

■ツヴィングリ

ツヴィングリは、このことを実際に行動として表しました。彼が否定したものは、十字架の飾り、祭壇、オルガン、コーラスなどです。現代の私たちにとっては、「なぜこれがだめなのか？」と首を傾げてしまうものもあります。しかし、彼は「聖書にないから」という理由で、これらを否定したのです。彼はこの運動の先頭に立ち、改革を積極的に進めていきました。彼の激しさ厳しさは、やがて現実の社会へ、そして政治的な改革へと向かうようになっていきました。
彼の改革が「現実」を変えようとする強い意志を伴っていたことを鑑みれば、彼が推し進めた方向は納得できるものです。社会の現実的な改革、そして政治体制の改革を目論んだツヴィングリの姿勢は、ルターに比べて厳しいものでした。ルターは、社会的・政治的な事柄には無関心でした。現行の社会体制をひっくり返すようなことまでは考えていなかったのです。しかしツヴィングリにとって、むしろそれらの改革こそが「宗教改革」だったのです。

しかし彼の改革運動は、長く続きませんでした。それは、彼が従軍牧師として戦場に赴き、そこで戦死してしまったからです。ツヴィングリが厳しく激しかった分、彼の遺志を継承する者たちの中から、彼に比する後継者は生まれませんでした。彼の追随者たちは、やがて地方へ散っていってしまったのです。

■カルヴァン

次いで、フランスの西ジュネーブで活躍したのは、カルヴァンです。彼は大学時代にルターの思想に触れ、「宗教改革」の一翼を担うこととなりました。一五三〇年代、パリ大学においてカルヴァンは学生ながら宗教改革の先頭に立ち、他の学生を指導したほどです。しかしフランスはカトリック勢力が強い地域であったため、彼はその働きをスイスに移さざるを得ませんでした。当時スイスのジュネーブでは、ギョーム・ファレルを中心にして改革が進められていました。彼からの申し出もあり、協力しながらカルヴァンは、独自の宗教改革を推し進めていきました。彼が目指していた方向性は、ツヴィングリの流れを汲むものでした。厳格で神の絶対的な主権を主張するカルヴァンは、次のような書物を著します。

・カルヴァン…プロテスタント神学初の本格的神学書である『キリスト教綱要』を発刊。

彼はこの書によって、決定的な影響をヨーロッパ各地に与えることとなりました。カルヴァンは、「まず神ありき」から出発します。そして、神の絶対的な主権の下、我々人間は道徳的な生活をすべきであると強く主張しました。具体的には服装の基準、ヘアスタイルの規定、そして食事に用いる皿の枚数までも細かく決めたのです。やがて彼は、人の「救い」も神によって予め決められているとする「予定説」を提唱します。これは、個人が救われるかどうかについて、すでに神の側が決めている、という主張です。一歩間違えば

■カルヴァン

「運命・宿命論」的なものに陥ってしまいます。しかし、彼が主張したかったのは、次のことです。

・救いの中に入れられていると感じている人々に対し、「救われたものとしての自覚と責任を持って歩め」という意味での「予定」説

この「予定説」は、職業や労働に対して「神から与えられた仕事として献身的な働きをするように」というメッセージによく用いられるようになっていきました。

■三者三様の「聖餐式」理解

ルターに始まり、ツヴィングリ、そしてカルヴァンが登場したこの時代。彼らの主張する「改革」は決して同じものではありませんでした。特にルターとツヴィングリは、仲が悪かったようです。ツヴィングリの戦死報告を聞いた時、ルターは大いに喜んで神に感謝を捧げたというのですから、対立の激しさは尋常ではなかったことが分かります。またカルヴァンはルターに較べると、どこか病弱で暗い性格でした。ルターが夜ごとに町の人たちと酒盛りをして楽しんだのに対し、カルヴァンは人とあまり会わず、社交的ではなかったと言われています。

彼らの性格的な違い、そして社会全体を改革しようとするかどうか、という政治的な問題以外に、決定的な神学的対立となったのが、聖餐式の捉え方でした。

①カトリックの聖餐論…パンを裂き、ぶどう酒を飲むたびごとに、「キリストの死」はくり返される。

カトリックでは、キリストの犠牲が毎集会、毎聖餐式ごとに行われると考えていました。そうなると、キリストの犠牲による死が毎回くり返されることになります。そして「パン」は「キリストのからだ」へ、「ぶどう酒」は「キリストの血」へと変化する（秘蹟の一つ）わけです。カトリック教会の礼拝堂に、必ず十字架上で苦しんでいるキリストの姿が描かれているのはこのためです。

②三人の聖餐式理解とそのずれ

しかし、ルターをはじめ、ツヴィングリ、カルヴァンらは、これらの考えを否定しました。根本的に、キリストの死が何度もくり返されるという考え方を受け入れられなかったからです。彼らは次のように考えました。

・キリストはただ一度だけ、我々のために死なれたのであり、その一度限りの死に決定性

カトリック教会	祈るとき、パンとぶどう酒は、キリストのからだと血に変わる。（化体説）
ルター	十字架の決定性、救いを事実として受け止めるためのもの
ツヴィングリ	パンとぶどう酒は、象徴（記念）である。
カルヴァン	キリストが霊において臨在する。

がある。

　では、彼らの聖餐論に何の齟齬《そご》も生じなかったのかというと、そうではありません。ルターは、十字架の一回性を否定するカトリックの聖餐論を受け入れませんでした。そして、彼は次のような主張をしました。

・ルター……聖餐式におけるパンとぶどう酒は、我々の救いを事実として受け止めるためのものであり、パンとぶどう酒に主イエスが「宿る」のである。

　彼が果たした大きな役割は、十字架の一回性を決定的なものとし、「パンやぶどう酒がそのままキリストのからだと血である」という主張を退けたことです。しかしこの考えに対して異議を差しはさんだのが、ツヴィングリでした。彼は次のように主張しました。

・ツヴィングリ……聖餐におけるパンとぶどう酒は、キリストの十字架を記念するためのものであり、キリストのからだと血を象徴するものである。

カルヴァンに至っては、さらに実体的なものから遠ざかります。

・カルヴァン……聖餐におけるパンとぶどう酒には、キリストが霊において臨在される。

ツヴィングリやカルヴァンにとって、カトリックの聖餐論はもちろんのこと、ルターの聖餐論にも絶対反対でした。なぜならキリストがパンとぶどう酒に宿るなら、我々はキリストのからだを歯で噛み砕き、その血を飲み干していることになるからです。しかし逆にルターにしてみれば、聖餐の本質が「象徴」であったり「霊的なもの」であるなら、それは本当にキリストとつながっていると言えるのか、と反論するでしょう。

この聖餐論における見解の相違は、実は「宗教改革」に対する彼らの方向性の違いを端的に表しています。ルターが現行のカトリック的なスタイルをそのまま受け入れる形で、その本質的・霊的な部分を変革しようとしたのに対し、ツヴィングリやカルヴァンは、もっと根底からカトリックそのものを変革しようと試みたと言えます。

そういった意味で、ルターは霊的な刷新を求めながらも非常に「現実的」な改革者であり、それゆえ皇帝や貴族の庇護の下に活動を進めていきました。一方、ヴィングリとカルヴァンは「理想」に燃え、政治的な機構そのものも含めてこの社会全体を変革しようと志したのです。聖餐論は、彼らの相違を如実に表す事例でした。

■宗教改革は「変革の時代」？

「宗教改革」という時代は、中世の固定的な教義（ドグマ）から解放される、いわゆる「輝かしい時代」と捉えることができます。しかし言い換えればそれは「激しい対立の時代」の幕開けであり、改革者たちの個人的な力量と才覚によって、地域性を伴った「変革の時代」の到来であると言うこともできます。

そしてもう一つ、ルターが聖書をラテン語からドイツ語に訳したということは、これは当時限られた人にしかわからなかった聖書の世界を、どんな人（母国語の読み書きができる人たち）でも読んで理解することができるように一般化したということです。彼は一連の所業を、純粋に信仰的な観点から実践したのでしょう。しかし結果的に、カトリック教会、ひいてはキリスト教会が保持していた「真理」を、各々が独自のやり方で受け止め、その真偽を自分たちで勝手に判断できるような道を拓いてしまったとも言えましょう。こういった考え方を「世俗化」といいます。

宗教的な純粋さゆえに行動した改革者たちは、各々が正しいと思うプロテスタント教会を生み出していきます。しかしそれは同時に、「世俗化」への道備えをしてしまったというところに、歴史の妙を感じます。次回はイングランドの宗教改革をはじめ、各国の宗教改革を見ていきましょう。

第十三章　ヨーロッパ各国の改革とイギリス国教会の成立

■絡み合う政治的な思惑

宗教改革が個人的な才覚と力量によって引き起こされたのに対し、国家的な規模にまで展開するようになった直接的な原因は、政治的な思惑が働き始めたからです。純粋に信仰的な動機から始められた改革だったはずが、いつしか国家的・政治的動機によって大きく拡大していったのです。

例えばスコットランドでは、ジョン・ノックスが中心となり、議会の勢力を結集してメアリ・スチュワートとの戦いが激しさを増していきます。結果的にこの国は、カルヴァン主義による長老教会が実権を握ることとなりました。

フランスでは、カルヴァン主義を標榜する「ユグノー」と呼ばれる一派がカトリックとの間で争いを起こしました。これを「ユグノー戦争」と言います。この戦いの最中「サン・バルテルミーの虐殺」と呼ばれる悲惨な事件が起こり、ユグノー派に属する多くの人々が殺されました。その後一五九八年になり、国王アンリ四世が「ナントの勅令」を発布し、この争いは終結しました。この勅令で、人々の信教の自由は認められました。しかし、アンリ四世は自身がユグノー派であったのに、政治的な妥協によってその信仰を捨てるという結果になってしまいました。

ネーデルランドでは、スペインのカトリックの影響を受けたフェリペ二世が王位に就きました。ここから内乱が相次ぎ、ついに南北が分裂してしまったのです。当時の王は、オレンジ公ウィレムでした。北は、カルヴァン主義の陣営として残されました。

これら各国の宗教改革は、次第に当初の目的、そして動機から離れ、政治的な争い、利権を奪い合う「戦争」へとその様相が変化していくのでした。

■急進派の存在

このような流れに対し、原点に立ち帰って信仰的な改革を推し進めていくべきだと主張するグループが生まれてきました。彼らは「急進派」と呼ばれ、スイスやオランダで雑多的・セクト的に活動していました。彼らの主張は、次のようでした。
・急進派「教会は個人的な信仰体験の場であるべきで、国家とは関わりを断つべきだ」
宗教改革がいつしか政治的対立の大義名分として利用されていることに危惧を抱いた人々は、教会を国家や政治から分離させ、個人の宗教体験を重んじるべきだと考えました。しかし彼らの主張は、当時の大勢にとって余りにも急進的・性急的に映りました。ですから彼らは「急進派」と呼ばれ、激しい迫害に遭うことになりました。

「宗教改革」というと、カトリックによって国家的・政治的にがんじがらめにされた暗黒の時代から、輝かしい自由の世界へと人々が解放されていく、というようなイメージを抱きやすいのですが、実情はそうではありません。

・カトリックに反抗（プロテスト）したはずの新教（プロテスタント）だが、国家的な概念はそのままだった。

ルターに始まり、カルヴァンなどによって大きな運動となった「宗教改革」ですが、彼らが目指したのはプロテスタント精神に基づいた政治国家の建設でした。つまり、カトリックの支配には抵抗するが、現行の政治体制まで打ち壊してしまおうとは思わなかったということです。カトリックという看板の代わりにプロテスタントの看板を掲げることを目指したわけで、その政治スタイル、特に宗教と政治の強い結びつきまで否定することは、彼らの目には「行き過ぎ」と映ったのです。

■再洗礼派の登場

しかし急進派は、カトリックからプロテスタントへ移行したとしても、政治的な機構に関わりを持っている間は、正しい「改革」は行われないと考えました。そして彼らの中でも、特に「洗礼」に関して拘りを持った一派が生まれました。彼らは、幼少期にわけも分からず授けられた「幼児洗礼」を無効だと主張しました。こう声高に訴える一派は「再洗礼派（アナ・バプテスト）」と呼ばれ、最も激しい迫害を受けました。

「幼児洗礼」とは、当時の社会では次のような意味がありました。

・幼児洗礼……ある国家の中に生まれた国民として認められるための大切な儀式であり、実質的には「戸籍台帳」作成のための手続きであった。

これを否定するということは、国家そのものを否定することにつながります。彼らは人々から国家に対する反逆者と見なされ、多くの迫害を受けました。それはカトリック陣営からだけでなく、プロテスタントからも同様の迫害を受けたということです。

急進派、中でも再洗礼派の中は、武力で世界を変えようとする過激派から、武力によらず平和的に細々とコミュニティを作ろうとするグループまで、種々様々でした。ある者は、ミュンスターという都市を「新しいエルサレム」として建て上げようと、武力行使に訴えました。しかしその一方で、すべてを自給自足にして、権力を振りかざすことを全く否定したメノー・シモンズの一派（再洗礼派）も生まれました。彼らはいずれもその実践形態に関わらず、激しい迫害と虐殺を体験させられることとなったのです。

■イングランドの宗教改革は、ここから始まった…

■イングランドの宗教改革

イングランドは、珍しいところから宗教改革の火がつきました。他のヨーロッパ各国が草の根的に民衆の中から(下からの)改革の勢いが湧き上がってきたのに対し、イングランドでは、国王の個人的な事情から、国家主導の(上からの)改革へとなだれ込んでいきました。

当時王位にあったのはヘンリー八世でした。彼はカルヴァンの思想を受け入れたいと願っていました。しかし、それは信仰的な動機からというよりも、個人的なわがままを貫き通すための方便でした。

・ヘンリー八世……キャサリンとの離婚を望んでいた。

彼は、王妃であるキャサリンとの結婚生活に嫌気がさしており、離婚しようと決意しました。しかしカトリックの教えでは、離婚は認められません。しかも王妃キャサリンは熱心なカトリック信者でした。困り果てた王は、トマス・クランマーをカンタベリーの大司教に据え、カルヴァン主義を受け入れ、これからは国の政策として「宗教改革」を断行することを宣言しました。これが「首長令」と言われるものです。

この「首長令」では、はっきりと国王こそがすべてのものの上に立つ存在であると銘記されており、この法律に則ってヘンリー八世はキャサリンと離婚したのです。やがて王はアン・ブーリンという女性と再婚します。そして彼の死後、エドワード六世が即位します。

・ヘンリー八世からエドワード六世へ……プロテスタント傾向がさらに強まる。

カルヴァン主義を国内で推し進めたトマス・クランマーが摂政的な立場で周りを固めていたため、必然的にエドワード六世の施政はプロテスタント的なものとなりました。彼は「祈祷書」や「四二箇条令」などを発表し、プロテスタントの確立を目指しましたが、志半ばで病死してしまいました。

■「血のメアリ」即位

この後、王位を継承したのは、ヘンリー八世によって離婚させられたキャサリンの娘、メアリでした。本来ならばエドワード六世の血筋が継承するはずでしたが、彼は若くして亡くなったため適当な後継者がいませんでした。そこで、先の王妃であったキャサリンの娘であり、同時にヘンリー八世の娘でもあるメアリが即位したのです。彼女のねらいは次のようなものでした。

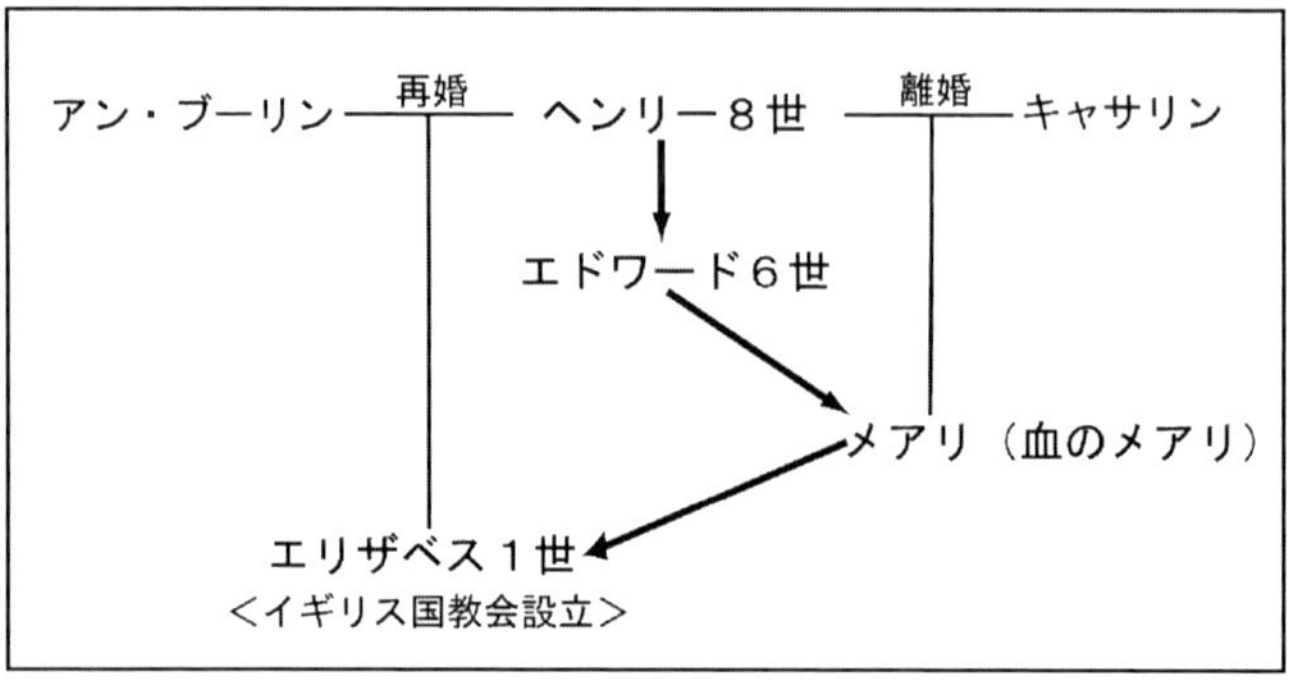

・メアリ……母キャサリンの恨みを晴らすこと。国をカトリックとして再興すること。

彼女は母キャサリンが受けた辱め（カトリック教徒であるのに離婚させられたこと）の恨みを晴らそうとして、プロテスタント指導者たちをはじめ、三百名ほどの人々を虐殺しました。そして国全体をカトリックへ揺り戻そうと試みました。

この動きを民衆はどのように受け止めたでしょうか。人々は今までのカトリック的なものに慣れ親しんでいました。しかし、王（ヘンリー八世）の勝手な判断で突然プロテスタント的な改革を強いられることになり、その変化に戸惑いを感じていたのです。ですからメアリがカトリック教徒として即位した時、彼らは大いに喜びました。「これでやっと自分たちの国が再興する」と考え、彼女に期待を抱いたのです。

しかし、メアリが行う「血の粛清」があまりにも凄惨であったため、やがて民衆の心は彼女から離れていきました。メアリは「血のメアリ」というニックネームで呼ばれるようになりました。

■エリザベス女王即位〜「国教会」成立

メアリは五年後に病死してしまいます。そして、次に王位に就いたのは、ヘンリー八世の第二夫人アン・ブーリンの娘であるエリザベス一世でした。彼女は政治的な手腕が非常に優れていました。再び「首長令」を発布すると、「イギリス国教会」というイングランド独自の教会を設立するのでした。国教会は、現在「聖公会」と呼ばれています。

このイギリス独自の教会体制は、端的に言って「折衷案」です。カトリックとプロテスタントとの間で揺れ動く国政を、何とか落ち着けてさらに発展へと向かわせるために、エリザベス一世は両者を二者択一的に捉えることをせず、むしろ折衷してしまったのです。

ですからこのように言えましょう。

・イギリス国教会……中身はプロテスタント、入れ物はカトリックエリザベス一世はこの一大改革を断行し、新しい形態を成立させました。それは新しいイングランドの幕開けでした。彼女は、生涯独身を貫き通し、有名な次の言葉を残しています。

・エリザベス一世「私はキリストの花嫁として、イギリスの教会と結婚します」

■イングランド宗教改革が残したもの

しかし、一応の決着を見た「宗教改革」問題も、いくつかの火種を残しました。それは、「国教会」という国家体制そのものが持つ「弱さ」でした。エリザベス一世が行った改革は、民衆の意向を全く無視したものであったため、国教会を支える草の根的な強さ、地盤ができあがっていませんでした。当時の状況として、国を導く者としては致し方ない結果（国教会の誕生）でありましたが、しかし、安易な折衷案であることに変わりはありませんでした。

おすすめDVD

『エリザベス（1998年　英）』

イギリス国教会が形成されるまでの歴史がよくわかる秀作。カトリックとプロテスタントの間で巻き起こる争いを、エリザベスの個人的な恋愛と絡めながら丹念に描いている。続編『ゴールデン・エイジ』と併せて鑑賞することをお薦めする。

少々大げさな演技も、こういうコスチュームプレイでは違和感がない。ラストの戴冠式で、エリザベスの化粧がちょっと怖い気もする……。

民衆が何を願い、何を信仰するかについて、今までの伝統や当時の人々の心情を慮《おもんぱか》ることができなかったのです。エリザベス一世が君臨していた時はよかったのですが、女王亡き後、カトリックとプロテスタントとの争いは激化し、そして思わぬ方向へと歴史を動かしていくことになるのでした。

コーヒーブレイク⑤早すぎた登場！
～歴史の「流れ」を見誤った再洗礼派～

二十一世紀という時代から当時のことを鑑みると、急進派・再洗礼派の「個人の体験重視」という主張は、決して間違ったものとは言えないでしょう。キリストを信じ、自身の罪を告白した者が、個人的に集まってキリストのからだを形成している、という考え方は、現在のクリスチャンが持っている信仰姿勢と何ら変わるものではないからです。

しかし、結論から言うなら、彼らは歴史の中に登場するのが早すぎたのです。彼らのもう少し後の時代、そして新天地アメリカなら、「体験」を求める信仰姿勢は受け入れられたことでしょう。そう見てみると、「歴史」とは本当におもしろいものです。

正しいこと、すばらしいことを主張していても、時代の状況や環境によって、それが「よいもの」にも「わるいもの」にもなり得るのです。私たちの時代から見れば「当たり前」であったり「すばらしいこと」と思えても、時代の状況や人々のニーズが微妙に絡み合って、その主張が受け入れられるかどうかが決まっていきます。ですから、「気を見て敏なる」行動が求められ、「信仰を持って大胆に踏み出す一歩」が必要なのです。

ヨハン・フスを始めとする多くの無名の改革者、そしてこの時代の再洗礼派、急進派の人々は、歴史の「流れ」を見誤らないようにと、私たちに有形無形のメッセージを与え続けてくれていると言えましょう。

第十四章　対抗宗教改革とピューリタン革命

■「中世に帰ろう！」

宗教改革のうねりがヨーロッパ全土を席巻した時代、攻撃の矢面に立たされたカトリック教会は何をしていたのでしょうか？　彼らはただ手をこまねいていたわけではありません。一五四五年、カトリック司祭はトリエントに会し、教会の今後について話し合いを始めました。これが「トリエント会議」です。この教会会議は、本来はルター派との和睦についての話し合いを行うためのものでした。しかし「アウグスブルクの宗教和議」が行われ、そこである程度の決着を見ていたため、カトリック教会の今後を左右する重大な会議となりました。結果、決まったことは次のようなものです。

・トリエント会議（一五四五年〜一五六三年）……「中世カトリック教会の伝統に戻ろう」

カトリック教会は、今のようにプロテスタントよって攻撃されるような状態は「間違い」であると考えました。そして中世カトリックの黄金時代に再び戻ろうと決意したのです。カトリック教会は、既に学んだように「世界に一つの教会」を作り上げることを目標としています。それが実現できていたと実感したのが「中世」という時代でした。だからその時代を再び甦らせようと目論んだのです。

その一つの現れとして、ヨーロッパ圏だけでなく、未だ誰も足を踏み入れたことのない未開の土地へ伝道しようと試みました。当時の世界は、次のように言うことができます。

・スペイン・ポルトガルを中心とした「大航海時代」の到来。

■修道院の働き

十六世紀は、大きな船を造り、何カ月もかけて海を渡り、植民地を獲得することによって国益を挙げようと躍起になっている時代でした。スペイン・ポルトガルは当然カトリックの国ですから、国の政策とカトリック教会の野心とがうまくミックスされ、彼らはどんどん海外へと旅立っていきました。

つまり教会が修行士を派遣し、国王は軍隊を派遣したということです。彼らは、キリストの福音を伝道するととも

おすすめ DVD

『ミッション（1986 年　英）』

カンヌ映画祭でグランプリを受賞した名作。

大航海時代から始まったカトリックの植民地政策を題材に、政治とキリスト教との間で揺れ動くイエズス会伝道師の苦悩描く。円熟味を増したロバート・デ・ニーロが、悲劇的な主人公を情熱的に熱演している。かっこいいんだな、これが…。

この時代のカトリック組織を丁寧に描いているので、「反宗教改革」についての最適な教材。

に、原住民が住んでいた土地を武力で占領しました。そして奪った土地にさらに宣教師を派遣し、国をキリスト教化していったのです。

この一連の政策は、「中世に戻ろう」と決めたカトリック教会だからこそ成し得た力業です。中世という時代は、国家と教会が強く結びついた時代でした。その時代に戻ろうとしたからこそ、カトリックの国々は占領地を手に入れ、それに大義名分を与える伝道の働きをさらに活発化することができたのです。

こう見てくると、カトリック教会のしたたかさは卓越したものがあると言わなければなりません。ヨーロッパ社会にいつまでもこだわっていては何も起こらないと感じた彼らは、その目を世界に向けていったのです。そして多くの植民地を手に入れ、国力を増強させるとともに、教会の本来の目的である福音の伝播を見事に成功させていきました。

■ピューリタンの台頭

カトリックが世界に目を向けて、大航海時代とともに福音の伝播に努めている頃、イングランドでは大きな時代の曲がり角に差し掛かっていました。権力を掌握し、政治的に優れた手腕を発揮したエリザベス一世が崩御し、人々の中に不安と混迷が拡がり始めていました。特に「国教会」という折衷的なキリスト教会、そしてそれを良しとする考え方（アングロ・カトリシズム）に対し、猛烈に反対する一派が勢力を増していきました。彼らはピューリタンと呼ばれ、次のような主張を掲げました。

・ピューリタン……十分に清められていない国教会ではなく、もっと純粋な信仰姿勢を持つべきだ。

彼らの中には主に議会で活躍し、改革的な発言を繰り返す者が多くいました。特に信仰の持ち方について、現状のようなアングロ・カトリシズムから脱却し、さらなる改革を目指さなければならないと考えていたのです。彼らは総じて「改革派」と呼ばれ、代表的なグループとしては、以下のものが挙げられます。

①長老派……信徒のまとめ役（長老）を設置し、牧師たちとの合議を基にして教会を建て上げていく。

②会衆派……信徒みんなで教会を運営していく。

彼らの共通の「敵」となったのが、国教会派でした。国教会派は国家主導の教会を形成し、主教制による教会運営を提案していました。彼らはエリザベス一世が存命中は大きな力となっていましたが、彼女の死後、その勢力は次第に陰りを見せ始めていたのです。

他には、議会での合議制そのものに対して否定的で、国家からの独立を求める一派も登場しました。彼らを「分離派」と呼ぶことができますし、特に彼らの中に「自分で受けたバプテスマこそが本物だ」と主張して憚《はばか》らない「バプテスト派」というグループの活動が目立ってきました。

このような不安定な情勢に加え、隣国とのいざこざが絶えなかったイングランドは、安定した国家体制を維持することが先決であるという意見が大勢を占めるようになりました。

そしてイングランドを諸外国から守るためには、血筋さえあれば、たとえ外国からであっても新しい王を迎えるのがよいという意見が受け入れられました。そこで一六〇三年、亡きエリザベス女王の跡を継ぐ形でスコットランドから招聘されたジェームズ一世が即位することになったのです。

・エリザベス一世（エリザベス王朝）↓　ジェームズ一世（スチュワート王朝）

■ジェームズ一世の即位

スコットランドという国は、プロテスタント国家であったため、改革派、そしてピューリタンたちは大いに喜びました。彼らは早速スコットランドのジェームズに宛てて、プロテスタントの国家を築いていただきたいという嘆願書「千人の誓願」を出しました。これに対する回答は、一年後にハンプトン・コートの会議において、国王自らが表明しました。彼は次のように述べました。

・ジェームズ一世「主教なくして国王なし」

これはカトリックの主教制を導入するということの明言であり、カトリックの国家を建設するという宣言でした。「千人の誓願」においてピューリタンたちが要請したことは、その殆どが却下され、唯一認められたのは、国王自らが英訳した聖書を広く用いることだけでした。

・ジェームズ一世の欽定訳聖書……キング・ジェームズ訳

次第に国王はカトリックの精神に基づいて、専制君主化していきました。やがて王の権力は神から授かったものであるとする「王権神授説」を唱え始めました。ピューリタンたちの希望は、完全に失墜してしまったのです。

王はさらに、「スポーツの書」というお触れを発布しました。これは、「日曜日の午後は皆で遊んで、楽しく過ごしましょう」というものでした。王としては国民の福利のために発布したのですが、当の国民たちは、ピューリタンを中心としてこの発布に大反対でした。なぜなら、彼らはカルヴァン主義を標榜する信仰的に厳格な人たちです。カルヴァン派は、食事の時に使う皿の数まで決めるほど真面目で厳格な人々でしたから、安息日に自分たちを楽しませるなど、もっての他だったのです。彼らはジェームズ一世に失望しただけでなく、彼を「堕落中の堕落」と呼んで非難し、反抗し始めました。

■新天地へ

国王も負けてはいません。ピューリタンたちへの迫害をさらに強化し、国教会を強制するようになっていきました。彼らの対立は激しく続きました。しかし中には、もはやイギリスという国に失望し、大航海時代を迎えていた国々の流れに乗って、新天地への脱出を試みるピューリタンたちも現れ始めました。彼らは一度オランダに渡り、それから「メイフラワー号」という船で新天地アメリカへと旅立っていったのでした。この時の彼らの行動が、その後の歴史にとって大きな変革をもたらすことになるのです。

■ピューリタン革命

ジェームズ一世は、息子のチャールズ一世に王位を譲りました。チャールズは、父ジェームズと同じくイギリスのカトリック化を進めようと大司教にウィリアム・ロードを据えました。そしてピューリタンたちを追い出そうと躍起になりました。

一方、ピューリタンたちは自分たちの願いを再び書にしたため、提出しました。

・一六二八年「権利の請願」→　しかし国王は受け入れず、むしろ議会そのものを閉鎖した。
ピューリタンたちは、ついに堪忍袋の緒が切れました。そしてオリバー・クロムウェルを中心とし、徹底抗戦に打って出たのです。彼は今まで一度も戦ったことのない農民たちを指揮し、鉄騎隊として鍛え上げました。そしてついにチャールズ一世を処刑してしまいました。これを「ピューリタン革命」と言います。

・一六四九年「ピューリタン革命」……共和制国家となり、クロムウェルは「護国卿」となる。
そして後の国家体制について話し合われ、その会議において、「信仰告白」が明文化されました。

・ウェストミンスター会議……「ウェストミンスター信仰告白」の成立

■王政復古〜チャールズ二世即位

さて、ピューリタン革命を経て、クロムウェルのもとに新しい国家建設に乗り出したイギリスでしたが、様々な問題に悩まされることとなりました。それは革命の立役者クロムウェルの暴君ぶりでした。革命家として名を馳せたクロムウェルは、自身が実質的な国王の地位に就くと、結果的には今までの国王たちが行ってきた様々な悪行を繰り返すようになってしまったのです。さらに跡を継いだ彼の息子が、様々な事態を収拾することができない有様でしたので、人民の力によって勝ち得た「ピューリタン革命」は十年余りで結局崩壊してしまったのです。そして王政は復活しました。

・一六六〇年「王政復古」……チャールズ一世の息子が即位する。

ピューリタンたちは、もはやイギリスに期待することはできないと悟りました。彼らが深く胸に刻んだのは、次のことでした。

■クロムゥエルはピューリタン革命を導いた

・教会が国家を動かし、信仰によって国家を建て上げるという理想は、成し遂げられない。

■政教分離思想の始まり

中世以降、カトリックが政治と信仰との頂点に立ち続けてきました。十六世紀になって、その体制ではどうしても取り繕えない問題が多く発生し、人々はプロテスタントの信仰を受け入れました。しかし急進派や再洗礼派たちは別としても、多くのプロテスタント信仰者は「カトリック」という看板のかわりに「プロテスタント」という看板を掲げることに疑いを持たず、国と教会との結びつきを当然のこととして受け止めてきたのです。

しかし、ピューリタン革命とその末路を辿る時、人々は「政治と信仰とは、妥協点を見出すことができない」ということを学んだのでした。

■近世の終焉

同時期、近世の終焉を象徴する、ある条約が結ばれました。それはドイツで一六一八年に始まった宗教戦争が、三十年の時を経てやっと終結したことを告げるものでした。

・ウェストファリア条約……ドイツ三十年戦争（一六一八年～一六四八年）の終結

この戦争は、カトリックとプロテスタントとの壮絶な戦いでした。舞台はドイツ。カトリックはルター派との共存を模索せざるを得なくなっていました。しかし、カルヴァン派らに代表される他のプロテスタント各派との合意は得られていなかったのです。そしてドイツにおいて、血で血を洗う三十年にも渡る長き戦いが勃発しました。

当初この戦争は純粋な宗教戦争でした。しかし信仰の問題は国家の問題であったこの時代、国家間の覇権争いに発展するのにさほど時間はかかりませんでした。それから三十年という長い戦争をドイツは経験することになります。一六四八年に一応の解決を見ますが、戦場となったドイツが支払った代償は大きなものでした。

・三十年戦争の結果……ドイツの荒廃と没落（人口の三分の一が死亡、田畑が荒れ地に）
　神聖ローマ帝国の瓦解
　カルヴァン派も共存が認められる。
　宗教各派のおおよその色分けが完成。

これらの結果を見ても、ピューリタン革命の顛末と似たものがあります。すなわち、国家と信仰との結びつきによる政治体制では、結局国は立ち行かないということです。「近世」

という時代は、このウェストファリア条約による戦争終結と同時に幕を下ろしたと言われています。総括して、近世から人間が学んだことは次のようにまとめることができるでしょう。

・教会と国家とを分離するほうがよい（政教分離）。
・信仰は共同体ではなく、個人的なものにすべきだ。

そして近世から近代へと、時代は移っていきます。近代においては、近世から学んだ事柄をくつがえし、信仰によって国家を建て上げようとする歴史的な出来事が起こってきます。しかしそのためには、あと百年の時と、イギリスに端を発する、「ある運動」が出現しなければならないのでした。

コーヒーブレイク⑥ザビエルは、「超スーパーエリート」だった！

カトリックが「中世に帰れ！」を合い言葉に、再び世界宣教に目を向けたことは、大きな時代の転換点でした。まだ世界の表舞台に立つことがない島国でさえも、カトリックにとっては「教区」でした。

この修道士たちを育成したのが、イグナティウス・ロヨラ、フランシスコ・ザビエルらを中心とした修道会「イエズス会」でした。彼らは、あらゆる学問を修めた「超スーパーエリート集団」でした。

一五三〇年代頃から始まったこの動きは、中南米やアフリカ、そしてアジアへと、その布教範囲を拡大していきます。その中でもザビエルは、当時における最高の修道士でした。織田信長や豊臣秀吉らが活躍した「南蛮時代」を迎えていた日本で、彼らは宣教活動を開始しました。ザビエルは、日本人について本国に次のようなコメントを送っています。

「日本人は真面目で熱心な民族だ。こんなに優秀な民族が、こんな土地にいたとは……」

やがてこの報告を受けたカトリック本部は、次々と修道士を日本に送り込むのでした。私たちが歴史の教科書で習う「ザビエル」は、鉄砲伝来と時期を同じくしてたまたま日本にたどり着いたかのような印象です。しかしこのイメージは全くの誤解です。ザビエルを始め当時のカトリック修道士は、はっきりとした目的を持って旅を続ける「最高の頭脳集団」だったのです。

ところで、もしもザビエルが今の日本人を見たら、果たして当時と同じ評価を下したかどうか、これは怪しいところですね。

第十五章　理性の時代〜近代の幕開け

■「理性の時代」の到来

ドイツ三十年戦争の終結によって近世は幕を閉じました。続く近代になると、人々は自分たちが「真理」と信じてきた信仰に対して疑いの心を抱くようになってきました。そして共同体としての信仰から、個人的な信仰へとシフトしていくうちに、彼らは「自分」というものに立脚したモノの考え方を選び取るようになっていったのです。「理性」に目を向け、次のように考えるようになっていきました。

・もっと人間が素直になって理性を用いれば、人は幸せになれる。

この時代を「理性の時代」、そして「啓蒙主義の時代」と言うことができます。人々は、中世時代から持ち続けてきた「真理」を迷信ではないかと疑い始めました。そしてもっと目の前にある「事実」に目を留めようとし始めるのです。それは、不合理・不明瞭なものがあれば理性に基づいてその真偽を判断すべきだ、と言うことです。中世から近世にかけての考え方と近代とは、次のように相違がはっきりしています。

・中世〜近世……ここに答え（真理）があるのだから、信じれば良い。疑うことは「罪」である。
・近代……不合理なものは、個々人が確かめるべきである。そのために「疑う」ことは健全な心の証拠である。

■デカルト

このような近代的思想家の代表として、フランスの哲学者デカルトが挙げられます。彼は『方法序説』において、「我思う、ゆえに我あり」と述べました。「様々な出来事がこの世界にはあるが、それは確かにそこに『ある』と言えるかどうかは疑わしい限りだ」と彼は考えます。しかしたった一つだけ確かなことがある。それは、「疑っている私がここに『いる』ということ」だというのです。カトリックが先天的な神概念を用いて物事を考えるのに対し、デカルトはカトリック教徒でありながら、理性で考え、疑うことで真理に至ることを提唱したのです。彼は次のように考えました。

・一つの事実を納得することで、次の展開を見ることができる。その積み重ねが我々の世界を作る。

他にも次のような哲学者がこの時代に活躍しました。

■フランスの哲学者

・スピノザ……「汎神論」↓　世界のどこにも神は存在する。
・ルソー……教育学の元祖↓　愛の実践によって、人は育つ（ヒューマニズム）
・パスカル……随想録『パンセ』↓　理性的なもので信仰を説明しようとした。
「理性は中性であり、信仰が正しい道を決めるものだ」

中には、ヴォルテールのように全く無神論的に教会を攻撃し、理性こそがすばらしいと掲げる者も登場します。これらの人物は、すべてフランス人です。フランスがカトリックの国であっただけに、激しく今までの歩みを否定したいと考える人物が多く輩出されたのかも知れません。

■イギリスの哲学者

一方イギリスは、フランスとは異なった方向へ理性を用いていきました。ジョン・ロックは、「実験や観察によって物事を理解できる」と述べ、イギリス「経験論」を提唱しました。これは従来の教会が「真理は神からの啓示によって一方的に与えられる」と捉えていたことと真っ向から対立しています。他のイギリス人哲学者には、次のような人物がいました。

・フランシス・ベーコン……人間が経験し、事実として証明できたものが「真理」である。
・ホッブス……社会を形成していくには、理性に基づいた「契約」が必要である。
・ヒューム……人間にとって、経験したものしか理解できない。↓「懐疑論」

最後の「懐疑論」は、信仰の世界にとってはチャレンジとなり、破壊的な脅威を与えるものとなっていきました。

■ニュートンは、この時大発見をした？

■ニュートンの真意

木から落ちたりんごを見て、「万有引力の法則」を発見したと言われている（実際はそうではないらしい）物理学者のニュートンは、自然の法則と自然界の秩序を探究しました。しかし彼の場合、決して信仰を破壊しようと思って研究を続けたのではなく、むしろ次のような気持ちでした。

・ニュートン……「神が創った世界だからこそ、それは秩序立ち、美しいに違いない。私はその世界についてもっと知りたい。」

■「理神論」

理性の台頭と啓蒙主義の発展に対し、何とかして理性的な探究の方向性との和合を試みる考え方も登場しました。それが「理神論」です。

・理神論……理性をもって神を理解しよう。神は天地を創造され、その世界を人間に委ねられ、理性を与えられた方である。↓　我々は神から与えられた理性を用いるべきである。

■「民主主義」の誕生

理性の台頭によって人々は様々なものを発明し、生活様式も変わってきました。人間はこのままどこまでも発展し続け、自分たちの力でこの地上に平和をもたらすことができると楽観的に考えるようになってきました。このような考え方に基づいた社会は、必然的に中世時代から続いた教義（ドグマ）を捨て去ります。同時に、身分階級の相違が微妙になっていきます。そのような中で生まれてきたものの考え方が「民主主義」です。しかしこの考え方が世界を席巻するのはもう少し後、フランス革命以後の時代です。

・民主主義……身分や階級ではなく、個人が皆同等の権利と義務を持ち、これらを行使する時に、理想の社会が形成される。

■産業革命

また、「産業革命」によって人々の生活は飛躍的に進歩しました。そして生活スタイルがガラリと変化してしまいました。蒸気機関車や電気の発明など、今までの人間の生活にはとても考えられないものが次々と登場してきました。しかしその一方で、ひたひたと次の時代に顕わになる、ある「問題」が迫りつつあったのも事実でした。それは次のようなものです。

・産業革命によって、持つ者（国）と持たざる者（国）との貧富の差が激しくなっていった。

・人間の力では到底及ばない破壊力を持った兵器が、次々と発明されていった。

中世以降、宗教改革を経て新しい教義で国家を形成していこうとする人間の試みは、ウェストファリア条約によって諦めざるを得なくなりました。次いで人間が目を留めたのが「理性」でした。事実、理性を持って物事に取り組む時に、生活は良い方向に変化していきました。共同体としての信仰から個人としての信仰へ移行していく時、人々は教会の後ろ盾によって作りあげられる国家ではなく、現実の王様や皇帝による国家を形成しようとし始めたのです。「絶対王政」という考え方が国家観として登場してきました。プロシアのフリードリヒ二世、ロシア帝国のピョートル大帝など、教会を自身の下に置いた国家形成が各地で成されるようになってきたのです。

■キリスト教会の衰退

これらの動きと軌を一にして、必然的に教会は急速に無力化していきました。十七世紀後半、キリスト教会は「理性」という反動勢力によって、完膚無きまでに叩きのめされてしまいます。否、正確には「叩きのめされたかに見えた」のです。そのような状況の中から、一筋の光がやって来ます。それも荒廃と荒涼の地、ドイツからその光はやって来るのでした。

コーヒーブレイク⑦ガリレオやニュートンは熱心なキリスト教徒だった。

私は、職業柄よく次のような質問を受けます。

「キリスト教会は、地動説を説いたガリレオを不当に裁いた。これをどう考えたらよいのか？」

回答には色々あるでしょうが、まず質問する側の誤解を解く必要があります。

当時の科学者たちは、確かに教会が「常識」として掲げていたものに対して異議を唱えました。しかし本編でも述べましたが、決してキリスト教そのものを否定しようとして科学を用いたのではありません。むしろ彼らは、神の「創造の御業」を実感したかったのです。

ガリレオをはじめニュートンらに代表される科学者は、熱心なキリスト教徒であり、忠実な信仰者だったのです。彼らは、自分たちの信仰を表現する一手段として科学を追究していきました。

ですから厳密に言えば、科学者たちの戦いは、個人の信仰を全く認めない閉鎖的な当時のキリスト教会に対してのものであって、神に対するものではなかったのです。神の創造の業に対して、最も無垢に感動していたのが彼らだったと言っても決して過言ではありません。

信仰に裏打ちされた科学の進歩が、「理性の時代」を切り拓いたのです。短絡的に「信仰か科学か」の二者択一を求めるような質問は、歴史的に見れば全く的外れと言わなければなりませんね。

第十六章　ドイツ敬虔主義とメソジスト派の誕生、アメリカの夜明け

■ドイツ敬虔主義の誕生

十七世紀に入り理性の時代を迎えたヨーロッパは、教会が今まで保ってきた権威や威光を疑い始めました。同時に産業革命や物理学などの発展により、人々は日毎に進歩を実感できるようになっていきました。そのような中にあって、「信仰」は従来のように生き方そのものに関わる事柄ではなくなり、道徳的な教養の一つになり下がってしまいました。神学は、哲学にその地位を取って換わられ、自然科学の隆盛によって、神という存在は「迷信」や「精神的な支え」程度の重みしか持たないものになってきたのです。

この傾向がさらに加速する中、ドイツではむしろより純粋な霊的満たしを求めた「敬虔主義」という運動が起こってきました。その中心的な人物はシュペーナーでした。彼は「もっと祈ろう！」を合言葉に、各地で聖書研究会を開きました。そして霊的な生命力を再び回復させようと努めました。この運動は草の根的に拡がり、多くの民衆によって支持されました。彼の弟子として、神学者にして教育学者であるフランケがいます。彼が求めたものは、次の事柄です。

・宗教改革が本来掲げていた、霊的な働きによる刷新を実現させよう。

次の世紀に入り、この運動は次第に全世界へと展開されるようになっていきました。その立役者となったのは、ツィンツェンドルフという人物です。

・ツィンツェンドルフ……ドイツ敬虔主義に基づき、全世界へ伝道団を派遣するようになる。

宗教改革は、キリスト教徒たちが血で血を洗う悲惨な結果を生み出してしまいました。しかしその精神は時代を越え、確かに生き続けていたのです。草の根的な「下からの運動」は、やがて全世界へと拡がる兆しを見せ始めました。

ここに、歴史の不思議さがあります。世の中全体（ヨーロッパ）が理性をもてはやし、今までの信仰的な事柄を一気に蹴散らそうとしたまさにその時に、荒廃と大きな精神的ダメージを受けたドイツから、霊的な方向へ再び揺り戻そうとする動きが起こってきたのですから。そして歴史の振り子は、十八世紀に入ると、ある一人の人物を通して大きな霊的刷新運動へと展開していくのでした。

その人物とは、ジョン・ウェスレーです。彼が指揮した運動は、社会全体を改革し、国家を形成するというような現実的な働きの原動力となり、今もなお、世界各地で求め続けられている霊的な刷新運動となっています。

■ジョン・ウェスレー

ジョン・ウェスレーは、イギリス国教会の司祭でした。彼は大学時代から、友人であるジョージ・ホイットフィールドと共に「神聖クラブ」というサークルを設立し、伝道に励んでいました。彼の性格は真面目で几帳面、その実践は杓子定規にすべて予定通り、方法通りに行うことを良しとしていました。そこで彼は「メソッド（方法）」にちなんで次のようなあだ名を付けられていました。

・「メソジスト（方法論者）」

すべてに細かく、真面目であったウェスレーですが、どうも伝道に関してはあまりパッとしなかったようです。イギリス国内では飽きたらず、海外に進出してまで伝道しようという熱意はありましたが、結果は成果のない失敗でした。

当時、国策として植民地化されていたアメリカのヴァージニア（現在のヴァージニア州）へと赴いた彼でしたが、結果的に何の収穫もないまま帰国することになりました。ウェスレーは失望と落胆を胸に、イギリス行きの船に乗り込んだのです。しかし、彼は船上で生涯忘れることのできない出会いを体験します。それがモラヴィア兄弟団との出会いです。

■「心が燃える体験」

ウェスレーが暗い心で甲板付近を散歩していた時のこと、妙に明るくてパワフルな一団と出くわします。彼は何かに吸い寄せられるようにその一団に近づいていきました。彼らはドイツ敬虔主義の流れを汲む伝道団体「モラヴィア兄弟団」だったのです。

モラヴィア兄弟団は、先ほど紹介したツィンツェンドルフによって組織されました。シュペーナーによって始められた敬虔主義は、やがてツィンツェンドルフの時代に至って、霊的刷新運動として大きなうねりとなっていました。彼は理性の時代にありながらも、霊的な働きを信じ、より純粋に神に近づきたいと願いました。そして信仰的な熱さを持っていたモラヴィア人たちを組織し、全世界に伝道団を派遣していたのです。

モラヴィア兄弟団の明るさと力強さに感化されたウェスレーは、帰国後、兄弟団の主催する集会に出席し、不思議な体験をします。彼は、その時に救いの「実感」を初めて抱いたと後に述べています。霊的な刷新を受けた彼は、早速、ツィンツェンドルフに会うためにドイツへ向かいます。そして彼に師事し、再び伝道者として立ち上がったのです。

その後の彼の活躍はめざましいものでした。ヨーロッパ隣国への伝道に始まり、再びアメリカへの伝道旅行に出かけました。親友ジョージ・ホイットフィールドも協力しながらの大伝道旅行を幾度となく繰り返したのです。彼はすべて長距離を馬車で移動しました。その距離なんと三十二万キロであったと言われています。また、路傍伝道や野外での伝道集会において彼が語った説教回数は、四万回を優に越えていました。

■ウェスレーの説教を聞きに集まる多くの人々

彼は『キリスト者の完全』という本を著し、救いは確かに神から与えられるものだが、それを個々人が自ら選び取る決断が求められていることを強調し、内面の清め（聖化）を目指すべきであると説きました。また、聖霊によって心の中を照らされることの大切さも語っています。

彼の弟チャールズは、兄ジョンと共に巡回伝道に出かけることがしばしばでした。特にチャールズの名を有名にしたのは、彼が作曲した数多くの賛美歌です。

ウェスレー兄弟、そしてホイットフィールドらによって、今までの教会のあり方とは全く異なったスタイルのキリスト教会ができあがったのです。従来のものは、人々が教会へと押し寄せるパターンでした。しかし、彼らによって確立されたのは、次のようなスタイルです。

・教会が、人々の生活圏に積極的に「出ていく」というスタイル

このように、教会側が積極的に外へ出ていくことになれば、当然人手が必要となってきます。そこでウェスレーは、信徒伝道者の育成にも心を注ぎました。彼の死後、この思いを受け継いだ十三万人の人々は、一つの教団を形成しました。それが「メソジスト教会」です。この教団は現在でもキリスト教会の第一線で活躍し、ホーリネス派を始め、ペンテコステ諸派など、多くの教派を生み出しています。

以上のような現実を目にする時、ウェスレーが残した次の言葉は、確かに価値あるものでしょう。

・「全世界が私の教区だ」

■様々な入植者（移民）たち

大航海時代と共に、カトリックが世界へ進出したことは前に述べました。この時代になると、カトリックに遅れること百年、プロテスタント各国が世界へ進出を始めました。ウェスレーの伝道旅行やツィンツェンドルフのモラヴィア兄弟団がなぜ頻繁に外国へ旅ができたのかといえば、その背景としてヨーロッパ各国がこぞって植民地政策を推し進めていたた

ことが挙げられます。

特にイギリスは、国策としての移民たちがアメリカに独自の州を設立し、本国の植民地としてそこに生活の基盤を築き始めていました。そのような州としては、次のようなものがあります。

・国策としての入植……ヴァージニア州（エリザベス一世に因んで名づけられた）、
　　ジョージア州

一方、ピューリタンたちがジェームズ一世をはじめとする国教会の政策に反対して、国外へ逃れるというパターンの入植もありました。彼らの理想は、次のようなものでした。

・ピューリタン入植者……信仰の自由さを追求し、聖書的な生活を新大陸で実践しよう。

そしてジョン・ロビンソンを中心として、「メイフラワー号」に乗ってアメリカへ渡ったのです。彼らは新天地で「ニューイングランド（新たなイギリス）州」を建て上げました。また、ピューリタン革命の顛末に失望した長老派のピューリタンたちは、同じ理想に燃える人々と共に新大陸へ渡り、彼らもまた、一つの州を形成しました。彼らは、こう考えました。

・「信仰によってもう一度国家を新しく建設しよう。」

そしてその理想を次の世代にも伝えるべく、大学を設立しました。

その他、ルター派のオランダ人たちが入植してきたり、「クエーカー」という独自のコミュニティを形成する「イエス友の会」のグループが渡航してきたりしました。当時のアメリカは、拡がる広大な土地に向かって多くの人々が様々な思惑から入植する「移民国家」として形成されつつあったのです。

■入植者たちは、期待を抱いて新天地にやってきた。

■ピューリタンの生活スタイル

目的はともかく、入植者（移民）たちの精力的な働きは、目を見張るものがありました。特にピューリタンは「礼拝・勤労」をモットーとして掲げ、入植者の政治的な場としての「教会」を建て上げ、政治的な指導者として「牧師」を重んじました。各地に教会を中心とした小コミュニティをいくつも形成し始めたのです。

当時のピューリタンたちの習慣や考え方の中で、現代にも残っているものとして次の二つが挙げられます。

・「感謝祭（thanks giving day）」と「レディ・ファーストの精神」

大地から穫れたものは、神からの祝福であり恵みであることを実感するために、この頃から十一月に「感謝祭」が行われるようになりました。また「レディ・ファーストの精神」も重んじられました。アメリカに辿り着いた人々にとって、子孫を残し、次の世代を盤石にするということは最も大切な「事業」でした。そういった意味で、女性は貴重な存在でした。このような環境、時代状況から「女性たちを大事にする」という感覚が芽生え、それが「レディ・ファーストの精神」として結実したのです。

■州体制の始まり

十七世紀後半から始まったプロテスタントの植民地政策は、ある種の緊張感が伴っていました。それは、次のような理由からでした。

①全く知らない新しい土地での生活基盤を形成しなければならないという実際的な問題があったから。
②ヨーロッパで果たせなかった願い（信仰によって国家を建て上げること）を、この新天地で現実のものとしたいという理想があったから。

そして時の流れと共に離合離散を繰り返し、少しずつ旗色が区別されるようになっていきました。やがてそれらは、十三の「州」という独立した囲いを持つことになり、この州体制は現代に至るまでアメリカの政治システムとして続いています。

当時の「州」において、彼らはまだ一致協力した体制を取ることはできませんでした。むしろ旗色の違いによってお互いを牽制し合っていたと言ってもいいでしょう。しかしそれから数十年後、各州はアメリカ全土を巻き込んだ一大現象に席巻されます。そしてこの動きによって彼らの中に、一致することへの熱い希求が湧き起こってくるのでした。十八世紀初頭、まだ「大国アメリカ」はその夜明けを迎えつつある状態でした。

第十七章　アメリカの独立と大覚醒運動

■第一次大覚醒運動の始まり

イギリスを始め、多くのヨーロッパ諸国からの移民は、十三の州を形成しました。しかし彼らの間にはあまり交流がなく、それぞれが別個の存在と言っても過言ではありませんでした。やがて一七〇〇年代に入り、変化が訪れました。

ウェスレーと共に活躍したジョージ・ホイットフィールドが、ジョナサン・エドワーズらと共に、東海岸で野外集会(Camp Meeting)を繰り返すようになっていったのです。

彼らが催した集会には、次のような特徴がありました。

①誰でも分かりやすいメッセージが語られた。

②個人的な信仰の覚醒が与えられた。

Book Review

『アメリカ　異形の制度空間』

西谷　修著

「アメリカ」という言葉が国家を指すようになるのは後のこと。そこには西洋の熟れ切った社会制度、文化に対する苛立ちと、まだ見ぬ「新世界」への憧憬があった。新大陸が「アメリカ」として人々に認知されるまでの歴史を様々な資料、エピソードでまとめあげた一冊。大学生なら必読本であるし、興味ある方なら読み通せる名著。　＜2016年 講談社メチエ＞

この野外集会に、十三州各地から多くの人々が集うようになっていきました。この一大ムーブメントを、後世の歴史家は次のように呼びました。

・一七二〇年からの「第一次大覚醒運動」

■激しい戦いの末、アメリカは独立を成し遂げた。

この「覚醒」は「復興」とも訳され、「信仰復興＝リバイバル」と呼ばれるものです。現在でも多くの日本の教会・牧師たちは、「日本のリバイバルのために」と叫んでいます。その一番の発端は、この一七二〇年からの出来事です。

十三の州は、この「覚醒運動」をどう位置づけようかと悩みました。つまり、個人の信仰が刷新され、霊的なものに対する興味関心が開かれることを、果たして望ましいことととらえていいのかという問題です。各州どこでも賛成者と反対者がいました。そして賛成者は、他の州の賛成者たちと連携を取るようになり、ここに驚くべき現象が生まれたのです。

それは次のことです。

・十三の植民州が持っていた教派・教団の枠を打ち破り、一つとなる連帯感が生まれた。

今まで長老派は長老派としかつきあいはなかったし、ルター派はルター派としてのアイデンティティを保持するために、他派との関わりは持ってきませんでした。しかしこの「覚醒運動」によって、皆が同じ霊的な刷新の体験（リバイバル体験）をし、一つの国家となるきっかけを得ることができたのです。「移民国家アメリカ」が黎明期を迎えたと言えます。

■独立へ向けて

やがて連帯感を持った人々は、一つの目標に向かって協力するようになりました。

・アメリカは、イギリスからの独立を求めるようになった。

本国イギリスからの搾取が厳しく、植民地での苦しい生活を強いられた人々は、独立国家を建設したいと思うようになっていきました。大覚醒運動という共通の体験をしたことで、独立の機運が高まってきたとも言えます。やがて「独立のためなら」ということで、人々は相違を乗り越えて、団結するようになっていきました。そして一七七五年、アメリカはついに独立要求をイギリスに突きつけたのです。翌年、アメリカは「独立宣言」を発表し、独立戦争は本格化しました。そして激しい戦いの末、アメリカは勝利することができました。彼らが一致団結し、勝利を得ることができた要因の一つとして、この大覚醒運動の発生は欠かせません。

■政教分離国家の誕生

やがてアメリカは「合衆（州）国」としていくつもの「州」の自治を認めつつ、一つの国家として合衆国憲法を制定することになりました。その時の起草者たちが最も気をつけたのは、次のことです。

・近世からの教訓として、国家と教会とを分離した政治体制を作ること。

「政教分離」の原則が、史上初めて銘記された瞬間です。また特定の宗教を強要せず、各自に信教の自由を認めたのも特筆すべき事柄です。

アメリカに移り住んできたのは、主にイギリス国教会からの迫害を受けた人々、そしてピューリタン革命に失望した人々でした。彼らは自らの信仰によって、もう一度国家を建設しようと誓い合っていました。その願いが一世紀を経て、現実のものとなったのです。しかも彼らを結びつけたのは、神に対する信仰の刷新体験でした。それが「政教分離」という形を生み出す一要因として用いられたのです。ウェスレーに始まる信仰刷新のリバイバル体験は、国家宗教からの支配を脱することの大切さを痛感したピューリタンたちの背中を押す結果となりました。そして、近世からの課題であった国家と特定教派との癒着を断ち切る新しい国家建設に寄与したのです。

■安堵の中で

第一次大覚醒運動を経て、精神的な支柱を得た植民地の人々は、教派間の協力によってアメリカの独立を勝ち取ることができました。しかし、このリバイバル体験による高揚は、やがて冷めていきました。東部諸州では、人口の一〇％しか教会へ行かないという状態にまで落ち込んでしまったのです。それにはいくつかの理由が考えられます。

おすすめ DVD

『レボリューション（1985 年　英）』と『パトリオット（2000 年　米）』

どちらもアメリカの独立戦争を描いた大作。庶民的なドロくささがある『レボリューション』に比べ、メル・ギブソンを主役に据えた『パトリオット』は、安易なアクション仕立てになっている。

イギリスとアメリカで、描き方に若干の違いはあるが、当時の歴史を深く知るにはどちらも一見の価値あり

①西部フロンティアへ人々の関心が向き、東部離れが進んだこと。
②戦争による疲れで、国民全体が疲弊してしまったこと。
③理性の時代の影響で、「理神論」的な哲学が、イギリス経由で持ち込まれたこと。

端的に言って、アメリカ国民は一つの大きな賭け（独立戦争）に勝利した安堵感で、信仰的な敬虔さを忘れてしまったということでしょう。

■西へ西へ

しかしそのような中にあっても、伝道に対する情熱を捨てなかった教派がありました。西へ西へと人々が移動するのに寄り添い、共に行動する中で、伝道活動を推し進めようとしたのです。彼らは「バプテスト派」と呼ばれました。この一派は、ピューリタンが少し大衆化した中から生まれてきました。特徴としては、信徒説教者を用いて、西へ移動する最前線の人々に福音を語るということです。牧師でなくとも、訓練さえ受ければ誰でもメッセージを語ることができるという発想が、功を奏したと言えるでしょう。

また、メソジスト派の中にも同じような動きが起こってきました。メソジスト派は「人間の自由意志を、神の恵みをつかむために用いよう」を合言葉に、旅する一団から別の一団へと巡回してまわる「巡回伝道者」を育成しました。

■第二次大覚醒運動

彼らの働きがあったせいか、十八世紀末から十九世紀初頭にかけて、エール大学でのリバイバルをきっかけとして、ケンタッキー州を中心に第二次大覚醒運動が起こりました。その中心的人物であったのが、チャールズ・フィニーたちでした。彼らが用いた手法は、ジョージ・ホイットフィールドやジョナサン・エドワーズが用いた野外集会の発展形でした。

・チャールズ・フィニー……天幕を張り、集会を連日催し、個人的な回心を促した。

集会に出席した人は、感情の高まりと霊的刷新によって高揚させられ、会場は興奮が渦巻く場となりました。人間の感情に訴え、霊的興奮状態を醸し出す雰囲気で集会を進めていくスタイルは、新しい社会に対応する新しいキリスト教会の姿でした。このスタイルは、大規模な伝道集会（クルセード）に踏襲されていきます。会場に集まった人々は一体感を得ることができ、神からの個人的な語りかけを受けるのでした。感情を伴った霊的刷新体験を通して、自らの信仰に確信を強めていったのです。

■「共通の未来」によってまとまるアメリカ

このように、アメリカという国家はキリスト教と切っても切れない関係を常に保ち続け、現在に至っています。アメリカ宗教史研究の第一人者でもある森孝一氏は、次のように述べています。

「多様な背景を持った人々によって構成されるアメリカは、『共通の過去』としての民族意識によって国民を統合することのできない国家である。『共通の過去』を持たないアメリカを統合するものは、『共通の未来』としての理念、理想、信条でしかない。それが『キリスト教』である。」

これが日本人であれば、誰もが知っている偉人、有名人は共通しています。「聖徳太子」が良い例でしょう。私たちは「十人の言うことを同時に聞き分けることができた」という彼にまつわる伝説をほとんどの人が知っています。これが「共通の過去」です。（大まかに言えば）単一民族である日本人は、同じ感覚で対象物を見ることが可能です。しかしアメリカの場合、そうではありません。イギリス系

Book Review

『宗教からよむ「アメリカ」』
森　孝一郎著

アメリカ研究を志す者必携の一冊。もう 20 年以上前の本だが、毎年増刷され、多くの方がこれを通して「アメリカ」そして「宗教」について学んでいる。この国を宗教という視点で紐解くと、私たちが通常メディアで色づけられた固定概念がいかに偏ったものであるかがわかる。森孝一氏は私の大学時代の恩師でもある。

＜1996 年 講談社メチエ＞

の移民、イタリア系の移民、北欧系移民、それぞれ風俗習慣が異なります。そんな彼らが「一つの国家・国民」としてまとまるためには、ちょうと「扇の要」のような共通項が必要です。残念なことに、彼らにはそのような「過去」がありません。

だから発想を転換させ、「こんな国家を建設したい」「こんな精神で未来を切り拓きたい」という「共通の未来」が「扇の要」の役割を果たすことになるのです。そして、その共通項こそ、「キリスト教（初期の場合、ピューリタン精神）」だったのです。

第十八章　南北戦争とリバイバルの発生

■霊的高揚の中で

アメリカは、独立戦争という歴史的な大波を乗り越えました。その前後で二度の大覚醒運動を経て、近代以降はキリスト教の中心的な国として、脚光を浴びるようになりました。アメリカで起こったリバイバル的現象は一過的な流行もありましたが、確実に世界のキリスト教会に影響を与えていったのです。

しかし同時に、霊的な高揚が社会全体を覆っていくことから、覚醒運動は多くの異端的な集団を生み出す温床ともなり得ました。代表的なものとして、次のような教団が生まれました。

・モルモン教、セブンスデー・アドベンチスト、ユニテリアン（単一神論）

彼らは、イエス・キリストの存在そのものを否定したり、またはキリスト教会が伝統的に堅く立ってきた教義を修正・変更したりして、福音を独自のやり方で歪曲し始めたのです。覚醒運動がアメリカ国民を一つにまとめ上げ、霊的な世界に対して心を開かせたということは、確かに評価できることです。しかし同時に、例えば霊的なものを過度に強調する教義が生まれ、神秘的な体験のみを求める傾向に人を走らせたりもしました。また逆に、極端に観念的であったり、従来の教義を我田引水的に強調したりする教えもありました。その結果、キリスト教の伝統を無視してしまう横暴さがはびこる原因ともなってしまったことは、否定できない事実です。

そういった意味で、その後数回起こる覚醒運動には、常にこの「亜種を生み出す危険性」がついて回りました。

■新たな火種

アメリカは独立を勝ち取り、経済的に大いなる発展を遂げつつありました。「信仰を土台としながらの政教分離の原則」という建国精神に則り、ますます社会は発展していったのです。しかし、経済的な成長の度合いが各州均等であったということではありません。

アメリカの南部は、綿花の産地でした。広大な土地には綿花畑が拡がり、その収穫の時は、猫の手も借りたいほどの忙しさでした。綿花採りは当時手作業で行われていましたので、結果として機械化がそれほど進みませんでした。そこで南部では、奴隷制度が公的に認められていたのです。そして、綿花をヨーロッパ諸国へ輸出することで生計を立てていましたので、南部の人々は自由に外国との貿易ができることを願っていました。

・南部……綿花を生産し、ヨーロッパへ輸出。自由貿易を希望。奴隷制度に賛成。

一方、アメリカ北部は、機械化・工業化が進んでいました。本家イギリスのお株を奪い、「世界の工場」と異名を取るまでに、その産業は急成長を遂げていたのです。彼らにとって外国からの安い製品が国内に出回ることは許し難いことでした。ですから自由貿易ではなく、保護貿易を求めていました。また、南部ほど人手が必要なわけではないため、奴隷制度に対しては否定的な見解を持っていました。

・北部……機械化による「世界の工場」化。
　保護貿易の推奨。奴隷制度への反対。

■ゲティスバーグで演説するリンカーン

■南北戦争とリンカーン

南部は「民主党」が占め、北部は「共和党」が占めていたこともあり、南北の対立は、日に日に増していくばかりでした。そしてついに一八六一年、アメリカの内乱として名高い「南北戦争」が勃発したのです。内乱は一八六五年まで続きます。独立からわずか百年足らずで、アメリカは内乱状態に陥ってしまいました。

この戦争は、当初は南部の軍隊が押していました。しかし当時の大統領であったリンカーンが、「奴隷解放宣言」を発布すると形成が逆転し、結果として北部が勝利しました。最後の戦場となったゲティスバーグに訪れたリンカーンは、「人民の人民による人民のための政治」で締めくくる有名な「ゲティスバーグの演説」を行いました。南北戦争の結果、奴隷であった黒人たちに（形式的ではありますが）自由が戻ってきたのです。

■第三次大覚醒運動

南北戦争が終わり、十九世紀末から二十世紀前半にかけて、三度目の大覚醒運動が起こります。中心となったのは、ドワイト・ムーディ、そしてビリー・サンディらでした。彼らの起こしたムーブメントは、人々の心を魅了しました。南北戦争という内輪同士の戦いによって傷ついていた人々の心は次第に癒され、一致する体験が求められるよ

おすすめ DVD

『リンカーン（2012 年　米）』

アメリカ南北戦争の終結と奴隷解放という２つのトピックスを同時に成し遂げようとするリンカーンの苦悩を描いた歴史大作。監督は S. スピルバーグ。道徳の授業で扱われるような清廉潔白な物語ではなく、憲法修正第 13 条（奴隷制度の廃止）を政治的駆け引きによって成し遂げる、という新たな視点が興味深く、じわじわとくる。

■大集会はこの頃から始まった。

うになっていきました。ムーディの伝道の特徴は、次のようなものでした。

・大公会堂を建設し、都市的な伝道を展開した。

彼は、アイラ・サンキーに賛美の作曲とプロデュースを依頼し、礼拝を「賛美」、「メッセージ」の順に行うという現代的なスタイルを確立させました。また、都市部に住む多くの人向けにチラシを作成し、広告を出し、伝道集会のアピールをしました。さらに、集会に来た人々に対して決心者カードを配布し、牧会的な働きにも力を入れ始めました。この頃から子どもたちの日曜学校も始まっています。

ムーディの編み出した数々のスタイルは、現代の私たちが踏襲しているものばかりです。毎年日本で行われているケズウィック大会もその一つです。そういった意味で、ムーディに対しては次のような評価が適当でしょう。

・現代的な大集会の原型を築き、現代の教会スタイルを決定づけた。

二十世紀に入り、第三次大覚醒運動によって現代的な教会生活のスタイルが確立した頃、世界を巻き込む大事件が発生します。第一次世界大戦です。一九一四年、大戦勃発後の最初の日曜日には、なんと全アメリカ国民の九〇％が日曜礼拝に集ったと言われています。教派・教団の違いこそあれ、全体の九割が一つとなったという事実は、クリスチャンの持つ力の大きさを物語っています。その発端が、この第三次覚醒運動であると評価することができるでしょう。

このクリスチャンパワーは凄まじいものでした。ピューリタン的な発想から、多くの娯楽や嗜好品が、「汚れている」との理由で排斥されるようになってきたのです。そして、それらを取り締まる法律が制定されました。特に有名なのは「禁酒法（一九二〇―一九三三）」です。映画『アンタッチャブル』で描かれた時代です。酒を禁止する法律ができれば、逆にそれによって密造酒を製造し、儲けようとする輩が生まれてくるのは必然でした。例えばアル・カポネなど、その代表的な人物でしょう。

二十一世紀の現在でも、「クリスチャンはお酒を飲まない」と主張するグループが存在します。彼らは、この禁酒法時代の教えを今でも忠実に守っているということになります。

また、この頃からマス・メディアを通じての伝道が全米各地で始まりました。ウェスレーの時代は、直接その集会場へ足を運んだ人々に対してしか語られなかったメッセージが、ラジオを通じて不特定多数の人々に届けられるようになったのです。野外集会や天幕集会の頃から較べても、二十世紀に入っての伝道方法は、さらに文化的な発明品とのタイアップが進められていったのです。

■ホーリネス派のリバイバル

最後に特筆すべきこととして、ホーリネス派のリバイバルを挙げなければならないでしょう。ウェスレーに始まるメソジスト派の流れは、信徒の生活レベルにおける「きよめ」を奨励するようになっていきました。先ほどの「禁酒法」などもその表れの一つです。彼らは、聖書の中にある一つのものに目を留めました。

・聖霊のバプテスマ……御霊によって、瞬時にきよめられることができる。

この「きよめ」が瞬時に起こるものなのか、それとも一定の時間をかけて漸進的に起こるものなのか、で多少の違いはありますが、いずれにせよ人々は、罪ゆるされて救われた後の生活を、神の前に清く保ちたいという願いをどうしたら実践できるかについて、思索を深めるようになっていったのです。

■ペンテコステ諸派の台頭とその歴史

やがて、この聖霊のバプテスマが人間に与えられたことの「しるし」を、具体的に求める人々が登場します。カンザス州トペカにある「ベテル聖書学校」に集まったチャールズ・パーハムらを中心とした神学生たちのことです。彼らは次のように考えました。

・チャールズ・パーハム……聖霊のバプテスマを受けた「しるし」として、異言が与えられる。

この考え方には賛否ありますが、現在のキリスト教世界の中で、圧倒的に信徒数が多いのはこのペンテコステ諸派です。彼らは聖書の『使徒の働き』二章の記述が、現代の私たちにも適応されると信じている一派です。現在、中南米、アフリカ、アジア諸国を中心に、爆発的な拡大を続けています。

第三次大覚醒運動は、前に起こった二つの覚醒運動とは異なった展開を見せたと言っていいでしょう。リバイバル現象を伴う聖霊の刷新体験は従来通りのものであったとしても、この刷新によって、一つの明確な「教派（ペンテコステ諸派）」が生み出されたということです。

そして二十一世紀になり、「ペンテコステ諸派」は百年の時を刻むことになりました。二十世紀の始まりと共に産声を上げたペンテコステ諸派は、一九六〇年代から八〇年代にかけて、各教派教団の中に居ながら「異言体験」をする人々の出現によって新たな展開を見せます。これを「ペンテコステ・カリスマ運動」と呼びます。

ペンテコステ諸派に関しては、特に同じ福音主義に立つ保守系キリスト教会から多くの批判を受けました。今なおそのような懸念を拭えずにいる教派教団もあります。とはいえ九〇年代に入り、ペンテコステ諸派に属する第二、第三世代からは「異言」にはこだわらない聖霊の働きを標榜するグループが生まれてきました。そういった意味でペンテコステ諸派は、今なお変化し続けている「動的集団」ということができるでしょう。

ペンテコステ諸派全体を通じて、今なお大きな影響を与えているのは、その洗練された音楽性です。常に最先端の音楽を巧みに取り入れ、新たな楽曲を生み出し、従来の賛美歌などを現代風にアレンジするやり方は、「ワーシップ」という教会音楽の一ジャンルを確立させました。

さらに、ゴスペルやR&B、九〇年代以降はヒップホップやラップ音楽など、コンテンポラリーなサウンドに合わせて生み出された数多くの楽曲は、若い世代から絶大な支持を

おすすめ DVD

『奇跡を呼ぶ男（1992年　米）』

アメリカで始まった「野外集会」の現代版といったところ。

主人公（スティーブ・マーティン）は巡回伝道をしている「いやしの伝道者」。しかし、実は大がかりな詐欺を企む不届きな男だった…。

今も昔も変わらず、神の恵みを求め、人々が大挙してやってくるところがいかにもアメリカ的。「神様を畏れなきゃ」とさわやかに訴えている。

得ています。また、多くのセキュラーミュージシャンを輩出しているのも、ペンテコステ諸派の特色です。

従来はアメリカから始まった聖霊運動だと思われていましたが、最近の研究によると、同時多発的に各国で同じような聖霊現象が起こっていたことが再発見されています。また、ペンテコステ諸派の人口分布でも、アメリカを抜いて第三国が圧倒的に増えてきています。ペンテコステ諸派全体のアイデンティティ、歴史が問い直されつつあるのが現状です。

コーヒーブレイク⑧アメリカには「神」がついている？

アメリカ建国からの一連の流れを見ていると、「背後に神がおられる」と主張する人々がどの時代にも一定数存在することの理由がよく分かります。人々の心を一つにして、歴史的な大事件に立ち向かわせたり、逆に内乱が終わって荒れ果てた人々の心を癒すような霊的刷新の現象が起こったり……。

多分アメリカ国民は、「自分たちには神がついている」ということを無意識的に信じているのでしょう。ＤＮＡに刻み込まれているとでも言いましょうか。

例えば、大統領就任式では、聖書に手を載せて宣誓する姿が見られます。しかし、それを別に咎めることなく人々は受け入れています。二〇〇一年の同時多発テロの時には、「God Bless America」が爆発的にヒットしましたし、教会での合同追悼式では、人々が神に祈る姿が見られました。

しかし一歩間違うと、「独りよがり」に陥ってしまい、例えばメキシコ国境に壁を建設しようとしたり、中東の特定国からの入国を制限するような路線を突き進む姿勢になってしまいます。自分たちを常に「正しい」と思いこんでしまい、横暴になる姿勢はいただけません。

しかしその一方で、「背後に絶対的な存在がある」という意識は、人々の心に「安心感」を与えます。その結果、人々は自信を持って国を動かし、歴史を大きく躍進させることにつながるのでしょう。

混迷と不安の中にある現代の日本。実は今の日本に最も必要なものは、この種の「神意識」ではないでしょうか。信仰の大切さを、アメリカの歴史は常に教えてくれます。

おすすめDVD

『ゴッド・ファーザーⅠ・Ⅱ・Ⅲ（1972.74.90年　米）』

アカデミー賞連続受賞の偉業を持つ、ギャング映画の傑作。間違っても「神父（ゴッド・ファーザー）」と日本訳しないように。

激しい暴力シーンがあるため、女性や子供たちにはおすすめできないが、背景にあるカトリックの儀式的要素や、政治との癒着問題を取り上げているところが、作品としての質の高さを物語っている。三部作合わせて10時間半の大作。

第十九章　リベラリズムの台頭とファンダメンタリズム論争

■信仰＝感情？

十七世紀から十八世紀にかけて広がった「理性」の躍進は、イギリスの産業革命などと相まって、人間の存在そのものへの興味関心を駆り立てました。それは、次のような雰囲気を人々の中に蔓延させました。

・人間の感情の中に神への信仰がある。

このような人間の主観性を真正面にとらえて哲学を展開していったのが、ドイツ最大の哲学者カントです。そして人間を中心に据えたものの考え方は、必然的に人間の進歩を称賛し、このまま人間はすばらしい世界を構築できるという「楽観主義」を生み出しました。簡単に言えばこうなります。

・人間が人間らしく考えていく内に、必ず物事は良くなっていく。

そして二十世紀、楽観主義と人間の主観性に対する信頼はシュライエルマッハーという神学者によって一応の帰結を迎えます。彼は「信仰」について、次のように述べています。

・シュライエルマッハー……信仰は、神に対する人間の「絶対帰依の感情」である。

彼によれば、イエス・キリストは「神への直感を鋭く持っていた人間」ということになります。彼に代表されるヒューマニズム的信仰は、理性と感情とを巧みに混ぜ合わせたもので、伝統的なキリスト教の信仰とは真っ向から対立するものです。

■信仰＝歴史？

もう一つ、シュライエルマッハーとは異なる方向へ進んで行った神学の流れがあります。それは、キリスト教を次のようにとらえる立場です。

・キリスト教は、歴史的な産物である。だから歴史的な因果関係によって、信仰をひもとくことが可能である。

この立場は、人間の感情というメンタルな方向へと流されない代わりに、歴史という過去の営みに注目するとらえ方です。代表的な人物として、バウル、リッチェル、ハルナックが挙げられます。彼らはヘーゲルの弁証法を援用して、「人の営み」としてのキリスト教を構築しようとしました。

彼らは決してキリスト教を信じていない不信仰者ではありません。むしろ熱心な信者です。「神をわかりたい」「理解したい」という思いが人一倍強い人たちだったのです。しかし彼らの採った方法は、従来の伝統的なキリスト教理解とは対立するものでした。そんな彼らの神学的思索をまとめて次のように呼びます。

・自由主義……聖書ありきの世界観ではなく、もっと自由に理性や人間性を用いてキリスト教理解を深めることを志向するグループ。「リベラリズム」、「新神学」とも呼ばれる。

彼ら「自由主義（リベラリズム）」陣営は、神について人間の知覚体験に基づいて迫ろうとする、いわゆる「下からの神学」を標榜するグループと言えます。主にドイツを中心にして生み出されたこの神学は、当時の理性と科学技術発展の風潮と相まって、全世界へと浸透していきます。

しかしこういった風潮を快く思わない人々もいました。彼らにとって聖書は「誤りなき神の言葉」であり、聖書に書かれていることをそのまま信じることこそ、最も信仰深い行為でした。そして自由主義のような考え方が出て来たのは、人間の罪ゆえの間違った結果であると訴えたのです。このように聖書を自分たちが生きている世界の土台に据えるグループのことを、次のように呼びます。

・根本主義……今までの基本的な聖書の教義を堅固に遵守するグループ。
　　「ファンダメンタリズム」

彼らは後に、「福音主義者（福音派）」とも呼ばれるようになります。十九世紀末から二十世紀初頭にかけて、この両陣営はアメリカで真っ向から対立します。

二十世紀前半までは、どちらかというと自由主義神学の方が脚光を浴びました。人々からも好意的に迎え入れられました。超自然的な奇跡物語を「そのまま」受け入れることに何の疑問の抱かなかった牧歌的な時代から、理性の発見と科学の発展によって、世界が大きく変動する時代へと進む中で、「こう信ぜよ」と教え込まれてきた聖書や神の存在を初めて公然と疑い、検証することが許されるようになったのです。ですからその勢いたるや、凄まじいものでした。

しかし自由主義の流れは、やがて信仰そのものの崩壊、そしてキリスト教そのものを危機に陥れました。なぜなら聖書が地質学、物理学、そして考古学的な観点から「検閲」され、その結果「おとぎ話」と何ら変わりないものと見なされてしまったからです。

このように聖書を捉えた自由主義は一九六〇年代以降のカウンターカルチャー時代になって、大きなしっぺ返しを食らうことになります。詳細は次章で扱います。

■米国ファンダメンタリズム論争とその結末

自由主義と根本主義が真正面から対立したアメリカでは、一九二〇年代から「ファンダメンタリズム論争」と呼ばれる神学的な論争が国を二分しました。両陣営の代表が聖書の記述の整合性を巡って対立し、それをラジオ番組の公開討論会で決着を付けようとしたのです。番組では、両者の討論を聞いていた審査員がジャッジして勝敗を決める、というような劇場型の演出が施されました。対立するトピックスとして主に取り上げられたのは、以下のような内容でした。

①処女懐胎は事実か？
②イエスの十字架を信じることで人は救われるか？
③復活は本当にあったのか？
④再臨（世界の終わり）は本当にあるのか？

⑤聖書の記述は、すべて事実か？

当時の資料によると、結果として根本主義陣営が勝利しています。しかし、一九二五年に発生した「スコープス裁判」を機に、根本主義は壊滅的な打撃を受けてしまいます。そして一九三〇年代から七〇年代半ばまで、歴史の表舞台から姿を消してしまうことになるのです。

■スコープス裁判

「スコープス裁判」とは、テネシー州デイトンの高校教師ジョン・スコープスが、州の法律に逆らって授業内に進化論を教えたことに端を発します。さらっと書きましたが、当時アメリカ南部では、進化論を若者たちに教えることが州の法律で禁じられていたのです。

スコープスは提訴され、検察側と弁護側が当時の著名人を各々の代表として立てたため、一躍全米から注目を集める裁判になりました。そして本来スコープスの行為に対するジャッジであったこの事件が、いつしか「進化論は是か非か」という議論にすり替わっていったのです。

弁護側は、検察側の代理人であるウィリアム・ブライアンという大物政治家に対し、「あなたは本当に聖書の記述が正しいと思っているのか？」と詰問しました。そして聖書の中に散見するさまざまな矛盾点を取り出し、その合理的説明をブライアンに求めたのでした。しかし神学者でもないブライアンに、明確な回答が出せるはずがありません。彼は「私はそう信じている」としか答えられず、ラジオを聞いていた多くの人たちの物笑いになってしまいました。多くの人は彼の回答を聞いて、次のように感じました。

・この科学が進歩した世の中に、こんな時代錯誤的な連中がまだ生きていたのか！

ここでことわっておきたいのですが、この裁判で明らかになったのは、「聖書の間違い」ではありません。ブライアンの答え方があまりにもトンチンカンであったため、人びとは彼に代表される根本主義者たちの知性に対し、嘲笑の声を上げたということです。

いずれにせよこの事件以降、聖書を字義通りに受け止め、奇跡物語を信じ、進化論を否定する根本主義者たちは歴史の表舞台から姿を消すことになります。では彼らはその考え方を捨ててしまったのでしょうか？　そうではありません。人知れず、同じ考えを持つ者たちで集まり、聖書研究をし続けていたのです。このようなアンダーグランドでの地道な活動は、やがて第二次世界大戦後に大きな転換期を迎えることとなります。

■「エヴァンジェリカル（福音派）」

少し時間を先に進めます。

スコープス裁判で結果的に大きな痛手を受けた根本主義者たちでしたが、第二次世界大戦後（一九五〇年代以降）に、イエス・キリストの十字架によって人が救われるという個人の信仰プロセスに加え、社会問題（東西冷戦、貧困、人種問題など）をうまく連関させることで、それらを聖書に基づいて解決しようとするグループが生じてきました。

彼らは自らのルーツを初代教会に、もしくは天地創造の時代にまで遡《さかのぼ》らせ、その正統性を堅く信じました。その一方、社会や政治にも目を向けて多くの人が納得できる「常識的な意見」を発信しようと心がけたのです。

そんな彼らは、自分たちを「ファンダメンタリスト」とは言わず、「エヴァンジェリカル（福音派）」と称しました。「ファンダメンタリスト」という言葉が「原理主義者」と同義の響きを含んでいるため、その呼び方を嫌ったのです。

いずれにせよ彼らは、聖書解釈に幅広さを持つ多様な存在となっていきました。例えば、聖書は神の霊感によって書かれたものであるため、一点一画に至るまで間違いや訂正はあり得ないとする「完全逐語霊感説」を採る厳格な保守的なグループが存在する一方、聖書を「時代的な制約の中で書かれた」ととらえ、本質において「誤りなき神のことば」を見出そうとする柔軟なグループまで、ここに含まれるようになりました。共通点は、「神の言葉としての聖書」ということです。

福音派のその後については、次々章で詳しく学びましょう。

第二十章　カール・バルトと新正統主義

■二十世紀総括…混迷と不安の時代

理性と楽観主義に彩られていた一九世紀までと較べて、二十世紀は混迷と不安の時代と言えます。世界史的には、カール・マルクスの「唯物史観」に基づいた「共産思想」が台頭し、一九一七年から翌年にかけてのロシア革命によって、世界初の共産主義国家が誕生します。その理想とは裏腹に、そこで行われていたのは、人間性を無視した強制労働と大虐殺の数々でした。また相前後して第一次世界大戦が起こり、ヨーロッパ各地で多くの命が失われました。しかも今までの戦争との大きな違いは、最新文明が生み出した兵器によって、大量に人が殺されたということです。人間が生み出した機械によって人間が殺されるという皮肉な結果が、そこに起こったのでした。

ヨーロッパの哲学者キルケゴールは「人間の存在こそが信仰だ」と説き、「実存」という考え方をもってこの危機を乗り切ろうとしました。これは簡単に言えば、我々の考えも及ばないところから、突然人間に対して危機がやってきて、その時に人は「自分自身」を体験し、その「裸の」自分から強く立って行くしかないのだ、とする考え方です。人間の内側を強く持つことによって、自分が生きていることの実感を手にしようとする哲学的な試みの一つと言えましょう。

しかし二十世紀には、人々が恐れ傷つく直接的な原因となった世界大戦が二度も発生し、世界を席巻します。未だかつて人類が経験したことのない出来事が起こってしまったのです。それは次のようなことです。

・大量破壊兵器、核兵器による直接的な攻撃が行われ、一瞬にして何万人もの命が失われたこと。

人々は、科学の進歩を無批判に歓迎した結果、自分たちが仕出かしたこと（大量虐殺）に恐怖しました。「このままでは、科学を駆使する人間が人類を滅ぼしてしまうことにもなりかねない」と悟ったのです。特に第二次世界大戦の終結以後、世界的規模で様々な問題が起こってきました。そしてその直接・間接の原因は、「人間」そのものであることがはっきりしたのです。

・東西の冷戦による核兵器の脅威、環境問題、公害問題、宗教多元社会の到来 etc.

戦争後の社会は、局地的な戦争（ベトナム戦争、朝鮮戦争）が起こり、テロ事件が各地で頻発します。また、地球温暖化の問題が緊急性を帯びてきて、価値観の多様化による善悪の境界線が曖昧になりつつありました。人間を不安と混迷のただ中へ突き落とすような状況は、人間の自由度が増すにつれ、さらに深刻化していくのでした。

このような時代の流れに早くから敏感に反応した人々がいました。その中から特に有名な二人の人物を取り上げてみましょう。一人はヨーロッパで活躍したスイス人神学者、カール・バルト。そしてもう一人は、アメリカで活躍した伝道者、ビリー・グラハムです。本章ではバルトを紹介しましょう。

■カール・バルト

カール・バルトが神学を志した当時、自由主義神学が潮流でした。しかし彼は全ての物事を人間から考えていくというその前提を、逆に疑いをもってとらえました。そして次のような主張をしたのです。

・信仰を人間の側から見ていたのではダメ。神からの啓示によって示されたことを我々は受け止めなければならない。

■「新正統主義」の誕生

■晩年のバルト。多くの著作を遺した。

そして一九一九年に『ローマ書講解』を世に出しました。彼は人間的な見地から聖書をひもとくことに反対しました。神が人間に語りたい事柄（メッセージ）があるのだから、まずそれを聞くべきであると主張したのです。そして新約聖書の「ローマ書」をテキストとして、自らの主張を実践しました。「神が主役であって、我々はその主役の神から多くのメッセージを投げ掛けられている存在である」と訴えたのです。

彼の主張は、当時の自由主義神学界において、てんやわんやの大騒ぎを巻き起こしました。なぜなら、自由主義的なペーソスを十分踏まえながらも、なお「神が語る」という一線を崩さなかったからです。相反する二つの命題を統合する道を切り拓いたのです。当時、この主張は全く新しい視点でした。研究者のバルト評は、次のようにまとめられます。

・バルト……自由主義の洗礼を受けつつも、再び正統主義を掲げた。すなわち「新」正統主義者である。

加えて、彼は頭だけで信仰をとらえようとする観念論者でもありませんでした。むしろ現実の状況に向き合い、行動しながら思索を展開したのです。

バルトは、ヒトラーの計画が国益を損ない、神の前に立つ教会という姿に抵抗するものであると確信していました。そこでドイツの牧師たちと共に、「教会と神の前に立つドイツ」という立場を固持すべく、一九三四年に「バルメン宣言」という声明を出し、ファシズムと戦う決意を示しました。

中には直接的にヒトラー暗殺計画を練る人々も現れました。バルトは幸いにして命を落とすことはありませんでしたが、同僚の神学者ボンフェッファーは、終戦の一週間前にヒトラー暗殺計画の実行者として、銃殺されてしまいました。ボンフェッファーが唱えた「世俗化・成人した世界」という考え方は、現代のキリスト教会にとって、今なお大きな課題となっています。

■新正統主義の評価

バルトに関するここまでの記述から、新正統主義こそキリスト教界の救世主、と受け止めてしまうのは早合点です。彼らの主張は確かに自由主義神学に対しての鋭いカウンターとなりました。人間の理性と科学の際限ない発展だけで人は幸せになることができないという主張は、的を射たものでした。しかし、聖書が人間の手を通して成立したことを（部分的であっても）受容する新正統主義の姿勢は、聖書を「全き神の言葉である」と強固に受け止める福音派にとって受け入れがたい存在でした。

新正統主義の聖書観は、次のようにまとめることができます。

・聖書自体は霊感されていないが、聖書の読者に聖霊が霊感を与えるとき、それが神のことばとなって啓示される。「聖書は神の啓示を証するものであって啓示自体ではない」。

福音派にとって、聖書はどこまでいっても「霊感された神の言葉」であり、徹頭徹尾「神から人間に与えられたもの」でした。彼らにとって神の啓示は、聖書という存在と同義です。ですから「聖書そのものに啓示性を認めない」とする新正統主義の立場を、福音派は認めることなど到底できませんでした。

自由主義神学とは確かに異なりますが、それでも彼ら福音派にとっては「新たな対立項」としか映らなかったのです。

Book Review

『使徒的人間 ―カール・バルト―』
冨岡　幸一郎 著

カール・バルトについての評伝だが、単なる学術的な書物ではない。

いわゆる「教会闘争」で、信仰のために武器を取るくだりなど、ページに魅入られたように読み進めることができる。彼の小難しい著作を読むより、まずこちらから読んだ方がすんなりと世界に入っていけるように思う。

＜1999 年 講談社＞

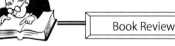

第二十一章　福音派の時代、その功罪

■ビリー・グラハムの登場

前章で取り上げたカール・バルトは、ヨーロッパの情勢を鑑みて思索と行動を積み重ねた神学者でした。一方、福音宣教という実践から多くの示唆を与えたアメリカ人伝道者として、二十世紀から二十一世紀にかけて忘れてはならない人物が、ビリー・グラハムです。ファンダメンタリストと呼ばれることを嫌った人々が一旦表舞台から姿を消し、半世紀近く潜伏期を通らざるをえなかったことは前章で述べました。そんな福音派内から台頭してきたのが、南部バプテスト連盟に属する伝道者、ビリー・グラハムです。彼は第二次世界大戦以後のアメリカにおいて、多くの人々を聖書へと立ち返らせました。

■東西冷戦と聖書信仰の復興

ビリー・グラハムは、一九五〇年に開催したロサンゼルスでの大伝道集会（クルセード）で脚光を浴び、フラー神学校との提携や、ハーバード大学などで博士号を取得した学者たちと共同で情報誌「クリスチャニティ・トゥデイ」を発刊するなど、根本主義者（ファンダメンタリスト）というレッテルを福音派から剥がそうと試みました。

■「聖書に立ち返れ！」と語るビリー・グラハム師

このようなアカデミックな一面があるかと思えば、その一方で東西冷戦を神からの警告であると解釈し、国家的な危機を前に、人々を再び聖書の世界へ立ち返らせようとしました。聖書を字義通りに受け止める生き方、すなわち「聖書信仰」に立ち返ることを奨励したのです。

■公民権運動、そしてカウンターカルチャー

一九六〇年代に巻き起こった「カウンターカルチャー」は、従来のピューリタン的なキリスト教的価値観に対して当時の若者たちが反抗し、新たな価値観を他宗教（特に東洋思想）から得ようとした出来事です。その背景には、長引く人種差別問題があり、その長期化が彼らに既存の価値観の矛盾（神の国を自称するアメリカで最も過酷な人種差別が起こっていること）を感じさせることになったのです。

一九五〇年代に、公民権運動で活躍したのがマーティン・ルーサー・キング牧師です。彼は社会運動をリードした牧師として有名です。彼の母体となったのが、リベラル系のバ

プテスト教会です。アフリカ系アメリカ人（以下、黒人と記します）は、南北戦争時代にリンカーンによって奴隷という立場から自由を得ました。しかしその自由とは、生活保障を意味するものではありませんでした。一時は北軍によって統制された南部地方でしたが、政治的妥協の結果、北軍が南部地方に干渉しないようになると、一気に差別の風潮は高まりました。そして悪名高い「ジム・クロウ法」が各州で批准されるようになり、黒人たちのアメリカ市民としての権利（公民権）は、白人たちによって合法的にはく奪されてしまったのです。

キング牧師は、この権利を再び黒人たちに返してもらおうと「公民権運動」を進めていきます。彼が立脚したのは合衆国憲法でした。一九六三年八月、公民権運動は大きなうねりとなり、首都ワシントンに二十万人とも三十万人とも言われる多くの市民を集めるデモ行進が決行されました。この時、キング牧師は「私には夢がある」という歴史的な名演説を行い、多くの人々に感動を与えました。

しかしキング牧師は、一九六八年四月にテネシー州メンフィスのモーテルで狙撃され、命を落としてしまいます。

彼の功績は、次の一言に尽きるでしょう。

・アメリカ国民としての基本的人権を、人種に関係なく保証する社会を法的に生み出そうとしたこと。

キング牧師亡き後、暴力も辞さない「ブラック・パンサー党」のような集団が生まれました。そして今なお人種問題はアメリカに根強くはびこっています。

例えば、二〇二〇年五月にミネソタ州ミネアポリスで発生した白人警官による黒人男性ジョージ・フロイド氏の殺害事件は、「ブラック・ライブズ・マター（ＢＬＭ）運動」を拡大させる契機となりました。アメリカでは、今なお人種間を巡る対立は収まっていません。

■「躍進する福音派」の時代

公民権運動が社会を確実に変え始めた時代は、多くの新しい変化が同時多発的に発生し

おすすめ DVD

『グローリー（2015 年　米）』

史上初、キング牧師が真正面から捉えられた作品。歴史上最も激しい対立となった「セルマ大行進」を取り上げ、デモ行進することによって黒人たちが「公民権」を切に求めていることを訴えるやり方は、その後の様々な社会運動にも取り入れられている。

ラストの演説は、もはや演技ではなく、れっきとした「説教」になっているのにも注目。

ています。六〇年代には、前述した「カウンターカルチャー」に若者たちが魅了され、同時期にアメリカの利権争いを「正義」の名の下に行おうとした「ベトナム戦争」が、七〇年代に入り泥沼化していきました。

こういった未曽有の事態を前に、キリスト教界全体に大きな変化が起こってきました。それはこのことです。

・リベラル的な自由神学に立つ教会から、人々がいなくなり始めた。一方、福音主義の教会には人が多く集まるようになっていった。

これは驚くべき変化でした。思い起こせば一九二五年の「スコープス裁判」以降、聖書を字義通りに信じ、受け入れる一派は「根本主義者」とさげすまれ、人びとから笑いものにされました。そして歴史の表舞台から消えてしまったかに思えたのです。そして「キリスト教会」といえば自由主義的神学に立つ諸教派がメイン・ライン（主流派）だと思われていました。

しかし東西冷戦に続くカウンターカルチャー、そしてベトナム戦争の時代になると、従

おすすめ DVD

『ブラック・パンサー（2018 年　米）』

マーベル映画の中で、黒人監督によって作られたアクション大作のひとつ。しかし単なるアクション映画に留まらず、トランプ政権下の黒人たちの生き様が色濃く反映された社会派エンタメに仕上がっている。史上初めてアメコミヒーロー映画がアカデミー賞作品賞にノミネートされたことでも話題になった。公民権運動のその後のアメリカがモチーフになっている。

来のキリスト教的価値観に代わる東洋思想などが入り込んできます。そのうねりに対し、自由主義神学に立脚するメインラインのキリスト教会は、立ち向かう術がなかったのです。

自由主義神学に立つリベラル派が教勢を落としていく一方、グラハムを中心とした南部バプテスト連盟は、多くの若者たちを信仰に立ち返らせることに成功しました。共和党のニクソン大統領とは盟友関係を結び、ホワイトハウスで祈祷会や聖書研究会など開催することもしばしばでした。しかしこの親密な関係も終わりの時がやってきます。

一九七二年六月、ニクソン大統領は政敵である民主党の本部ビル（ウォーターゲート）に盗聴器を仕掛けようとし、これが発見されるというスキャンダルを引き起こしてしまったのです。いわゆる「ウォーターゲート事件」です。

「大統領が不正を行っていた」という事実は、米国民のみならず、キリスト教界にも大きな衝撃を与えました。ニクソン大統領は辞任しましたが、彼の友人であったグラハムにも非難の声が寄せられました。しかしグラハムは政界へ進出せずに「牧師」という立場にとどまったため、程なくして非難の声も消えていきました。

やがて「福音派」に躍進の季節が巡ってきます。一九七六年に誕生したカーター大統領は、自らの信仰を「福音派（エヴァンジェリカル）」と表現し、一躍全米の人気者になります。この彼の発言以来、全米のみならず全世界で「福音派」という言葉が人々の中に浸透していくことになります。メディアはこぞって「躍進する福音派」ともてはやします。

二十世紀における福音派への評価は、まるで高低差の激しいジェットコースターのようなものでした。かつて「偏屈な考え方に凝り固まった輩」と思われていたのに、ビリー・グラハムの活躍とカーター大統領登場によって、その評価は一変してしまったのです。

・一九三〇年代に「根本主義者」と蔑まれた人々は、一九七〇年代後半から、「福音派」としてキリスト教界の一翼を担う存在として認知されていった。

■「宗教右派」の時代

しかし「福音派」の躍進は、思わぬところで別の視点から注目されるようになりました。それは政治の世界です。カーター大統領の発言以降、人びとに注目され始めた福音派ですが、彼らのほとんどが政治的に「無垢な赤子」のような状態でした。

アメリカでは、成人に達したから選挙権がもらえるというわけではありません。選挙人登録をしないとその権利を行使できないのです。しかし礼拝と聖書の学びにのみ興味を持っていた福音派の中には、この登録手続きをしていない人が多く存在していました。そんな彼らに目を付けた共和党の一派が、牧師たちを焚きつけて、教会員を共和党寄りの思想へ導こうと試みたのです。

結果、現在でも「宗教右派」と呼ばれる政治的な意味での福音派集団は生み出され続けています。最近では、彼らがドナルド・トランプ大統領を支持して団結したことで、福音派内に亀裂が生じたとも言われています。しかし二〇二一年からは民主党が再び政権を奪取したため、宗教右派が表立って活躍することは無くなっていくでしょう。とはいえ、「政治の味」を知ってしまった一部の福音派集団は、今後もこのやり方を変えることはないと予想されます。

一九八〇年代から現在（二〇二〇年代）にかけては、政治的な「宗教右派」の時代を迎えていると言えます。

■「福音派」が反発する三つの事柄

一九七〇年代当時、福音派の人々にとって決して認められない事柄が三つありました。それは次のようなものです。

・①人工中絶　②同性婚　③公立学校での祈祷の禁止

「人工中絶」の問題は、一九七三年の最高裁で「限定期間内の人工中絶は、女性の権利である」という判決が出て以降、現在に至るまでかしましく議論されています。人為

Book Review

『アメリカ福音派の歴史』
青木　保憲 著

自分の本を推薦するな！という声が聞こえてきそうですが、一世一代の力作（？）です。南北戦争後から1980年代までの約100年間を「福音派」という視点からまとめました。護教的にならず、歴史的足跡をしっかりとたどることを心がけました。確かにボリュームはありますが、読みやすい内容です（自分で言うな！）

＜2012年 明石書店＞

的に命を闇に葬るという在り方を福音派は到底受け入れることはできませんでした。しかし司法の場では、これが「女性の権利」と見なされたのです。

次いで「同性婚」についてはアメリカ特有の「ねじれ」が原因で、さらに大きな反発を福音派内に巻き起こしました。実は米国には「男女平等」を保障する法律がありません。そのような法案（ＥＲＡ）を企図したことはありますが、この法律が「同性婚の承認に追い風となる」との見解から、むしろ女性たちの反発を招いたのです。当然、男性社会に対して女性の権利を認めようという趣旨で起草された法案だったのですが、その解釈が「ねじれ」てしまったと言えます。

最後の「公立学校での祈祷の禁止」は、人工中絶や同性婚よりもさらに大きな反発を招くことになりました。建国以来、アメリカは「神によって建てられた国家」という自負を持っていました。ですから授業の最初に皆が星条旗を見上げ、胸に手を当て、そして主の祈りや祈祷をするということが習慣化されても誰も異を唱えませんでした。しかし、これが合衆国憲法（修正第一条）で保障されている「信教の自由」に抵触するという最高裁判決が、一九六〇年代以降に相次いで出されたのです。背景には、他宗教を信じる移民たちの増加やカウンターカルチャーなど、様々な要因が挙げられます。いずれにしてもこの判決は、すべてのアメリカ国民がキリスト教徒であるという時代の終焉を意味していました。福音派は到底この判決を受け入れられませんでした。

■レーガン大統領を誕生させた「保守大連合」

一九八〇年に向けて、この「宗教右派」の活動は活発化します。政治家とのコネクションを太くして、全米各地で「家族」をテーマに保守大連合を呼び掛けた中心人物に、ジェリー・ファルウェルがいます。彼はペンテコステ教会の牧師を務めるかたわら、「モラル・マジョリティ（道徳的多数派）」という政治団体を立ち上げます。そして「私たちはアメリカを愛している」という名の集会を各地で行い、共和党のレーガン大統領候補を応援するようになっていきます。このような活動に懐疑的、批判的なキリスト教団体もありましたが、全米の二十五％を占める大票田である福音派を政治の世界へ取り込む流れは止まりませんでした。そしてレーガン大統領が誕生し、それ以降、「宗教右派（当時の福音派の一部）」は、その後の大統領選挙のキャスティングボードを握る「影のフィクサー」的な存在へと勢力を拡大していくのでした。

■ブッシュ政権を支えた「クリスチャン連合」

九〇年代初頭に湾岸戦争が勃発します。その時、公約を破って増税したブッシュ（父）大統領は一期（四年）でその職を民主党のビル・クリントンへ手渡すことになります。そしてそれから八年後、ブッシュ（子）大統領時代になると、彼を支える「宗教右派」団体の中で最大の集団、「クリスチャン連合」が生まれます。これを立ち上げたのは、これまた牧師であったパット・ロバートソンです。彼は自身のテレビ局を持ち、「７００クラブ」というケーブルテレビを用いて、共和党、特にブッシュ大統領を応援するキャンペーンを展開しました。

この流れが最高潮に達したのが「九・一一」同時多発テロ事件の頃です。彼ら宗教右派に加えて「ネオコン（新保守派）」と呼ばれる政治家たちが結束し、米国を「世界の警察」と称し、イラクのフセイン政権を陥落させ、アフガン戦争へと突き進んでいきました。

この流れに多くの人々が非難の声を上げます。結果、共和党政権は維持できず、民主党で「私たちは変えられる」を合言葉に、アフリカ系アメリカ人初の大統領となるバラク・オバマが注目されていくのでした。

■トランプ政権と福音派

オバマ政権の八年間では、リベラルな政策が展開されました。それは言い換えれば、福音派たちにとっては「冬の時代」と言えます。アメリカ社会全体がリベラル化し、中絶問題はもとより同性婚が合法化（二〇一五年）され、ラストベルトと呼ばれる鉄鋼業主体の地域では、経済が斜陽化していきました。また経済格差の拡大による「分断」がさらに深刻化したのもこの時期です。

そして、この頃に出されたアメリカの人口分布予想図で衝撃的な事実が突きつけられました。それは、二〇二五年までに白人人口が過半数を切り、これまでのペースで南米ラテン系の人口が増加するなら、白人たちに取って代わって、彼らがマジョリティ（主流派）となるだろう、という内容でした。

これに慌てたのは、ワスプ（WASP）と呼ばれる人々です。「ワスプ（White Anglo-Saxon Protestant）」とは、白人でアングロ・サクソン系、そしてプロテスタント信仰を持つ人々の総称です。このワスプによって今までのアメリカは牽引されてきました。彼らはこれらの諸問題（信仰に関わる問題、経済格差の問題、人口の問題）をすべて併せて一つに考えました。そしてこれを打開できる大統領候補として、ドナルド・トランプを支援することにしたのです。

結果、大方の予想が「初の女性大統領ヒラリー・クリントン」であったにもかかわらず、それを覆してトランプ大統領が誕生しました。

■「福音派」の功罪

少し聖書やキリスト教の項目から外れてしまった感がありますが、これこそ現代的な意味での「キリスト教の歴史」です。「キリスト教」とは、決して「過去の偉人伝の集積」ではなく、その時代、地域における「キリスト信仰」を抱いた人々の言動の記録、信仰の足跡です。そう言った意味で、序章でもお伝えしたように、私たちは「キリスト教史の最先端」を生きていることになるのです。

ここで「福音派」の功罪についてまとめておきましょう。

・ファンダメンタル論争以後、歴史の表舞台から姿を消した根本主義者（後の福音派）は、それでも自身の信仰を捨てず、脈々と歴史を紡ぎ出していた。（功の部分）

・しかし信仰と政治と関連させるやり方は、過度の賛否論争を巻き起こし、いらぬ軋轢《あつれき》を生み出してしまった。（罪の部分）

・社会がリベラル化する中で、聖書に基づく福音主義信仰を堅持することは困難を覚えるようになりつつある。これは現代的な課題であり、それに対する明確な指標は未だに示されていない。だからこそ聖書に立ち返って、皆で知恵をしぼる必要がある。（今後の課題）

終章　これからの時代を見通して
～エキュメニカル運動とローザンヌ世界宣教会議

■二十一世紀の教会像①～エキュメニカル運動

キリスト教会が世に誕生した時はカトリック教会のみでしたが、やがて宗教改革を経て大きく二つに分かれました。時代が進むと共にプロテスタント教会は次第に分化していき、それぞれの信条に従った教派の形成が進みました。

そして二十世紀、キリスト教会は数えきれないほどの分裂を繰り返し、今なお続いています。それは教派・教団の違いはもとより、教会ごとに異なった考えを持つ時代となったということを意味します。しかし、そのような流れの中で教会の一致運動を求める者たちが起こってきました。

・エキュメニカル運動……世界の教会を「一つ」に

その流れから、現在でも我々は「超教派」という言葉を用います。二十一世紀の教会像として、このエキュメニカルな視点は決して忘れてはならないでしょう。近年では、教派教団の壁を越えた一致を叫ぶ声はさらに高まっています。しかし、私たちは覚えておかなければならないことがあります。それは、中世のような画一的な上からの一致はあり得ないということです。また、自由主義神学や新正統主義の信仰とどうしても相いれない要素も散見します。だから単なる「多様性」を求めるのも誤りです。

「エキュメニカル」という流れは、二つの世界大戦を経て、イデオロギーの対立を乗り越えるために生み出された考え方です。その先鞭として、プロテスタント各派の指導者らは一九一〇年、スコットランドのエディンバラで世界宣教会議を開催しています。その流れから一九四八年、「世界教会協議会」（ＷＣＣ）が生まれました。

一方、カトリックでもエキュメニカルな動きがありました。それは一九六二年から六五年にかけて開催された「第二バチカン会議」です。ここで教皇ヨハネ二十三世は「教会の現代化と現代社会への適応」を訴えました。ここで彼らは天動説を公的に廃し、地動説を受け入れ、ガリレオの名誉を回復しました。二百年以上も前の過ちを二十世紀に認めるなんて、何と悠長なことだろうと思われるかもしれません。しかし、こうまでしてでも「教会の現代化」を図ることがカトリックには求められていたのです。また、プロテスタント諸教派との対話を深め、全人類の一致と相互理解のために努めることが採択されました。これも一種の「エキュメニカル運動」と言えましょう。

しかしこちらの考え方に対しても、一定の距離が必要です。エキュメニカルなあり方が耳障りよく響くのは当たり前です。しかしこれがいつしか「何でもあり」となってしまう危険性は常に付きまとうからです。各々の信仰者が、自身の信仰の確たる部分をしっかり吟味しなければならない時代になりつつあるということでしょう。

■二十一世紀の教会像②〜ローザンヌ世界宣教会議

一方、このエキュメニカルな流れに対して福音派は独自の路線を展開していきます。それが一九七四年に開催された「第一回ローザンヌ世界宣教会議」です。スイスのローザンヌに世界百五十か国の福音派指導者たちが結集しました。この大会を主導したのがビリー・グラハムです。ここで、後に「ローザンヌ誓約」と呼ばれる世界宣言が採択されました。

一九八九年、第二回会議がフィリピン・マニラで開催され、そこで議論されたまとめが「マニラ宣言」として採択されました。さらに二〇一〇年に南アフリカのケープタウンで第三回目の世界宣教会議が開催されました。

これらに共通するのは、徹底した「福音宣教の遂行」です。特に第三回の「ケープタウン決意表明」では、次のように決意表明が述べられています。

「私たちは福音を提示する際、単に個人的救済の提供として、また他の神々が与えるものよりも優れた問題解決法としてではなく、キリストにおける神の全宇宙に対する計画として提示しなければならない。」（決意表明パートⅡ序論より）

これは、単なる個々人の魂の救済（教義的には「救い」）を越えた視点を提示しています。それは、貧困や地域紛争などの社会的な問題にも視野を拡大することです。そして世界中の人々のそれぞれの環境下において、全人的（ホリスティック）にキリスト教の「救い」が語り直されるべきである、ということになります。そう言った意味で、現代性を加味しつつ、それでもなお変わらない真理（神の言葉）に基づいた具体的な方策を、皆で実践しようという宣言と捉えることができます。

■本書の終わりに

いかがでしたでしょうか？

「序章」でお伝えしたように、キリスト教が「歴史的宗教」であることがお判り頂けたのではないかと思います。「キリスト教の歴史」とは、決して「クリスチャンの黄金の歴史」ではありません。人間の失敗の数々が赤裸々に語られることこそ、実は「キリスト教の歴史」に他ならないのです。

各々の時代に「信仰者」が存在しました。彼らは真剣に神に祈り、人間という有限な存在でありながらも「神の前に誠実でありたい」と願う人々でした。そんな彼らの足跡を神がちゃんと受け止めて下さったからこそ、これらの出来事は「歴史化」されてきたのです。後の時代を生きる信仰者たちへ、信仰のバトンが手渡されてきたのです。

そして今、二千年間持ち運ばれたこの「傷だらけのバトン」は、私たちの手の中にあります。これをどう活用するか、どのようなドラマをこれからバトンに刻み、後世の人々に手渡していくのか？　これが私たちに問われています。遭遇する様々な出来事に対し、私たちは祈り、決断を下さざるを得ません。そしてこれらすべてのプロセスを「神の導き」と受け止めて、一歩踏み出す勇気を持つことこそ、次の「キリスト教の歴史」を紡ぎ出す原動力となるのです。

「キリスト教」は決して立ち止まりません。今まで用いられてきた概念や言葉が、新たな意味を伴って拡大していきます。例えば「一致」という言葉を例に挙げてみましょう。従来は対立する事象の一方が勝者で、他方が敗者でした。そして勝者によって保たれるのが「一致」でした。しかしこれからは「一致」という意味合いそのものが深化していくことでしょう。

そう言った意味で、神からこの時代を託された私たち「二十一世紀の信仰者たち」は、新たな地平にキリスト教の歴史を、今日も切り拓いていくことになるのです。

それが果たしてどのような評価を得ることになるのか？　その評価は後世の歴史家たちに委ねなければなりません。しかし私たちが真摯に問題と向き合い、聖書の言葉に基づいて決断を下していくことだけは忘れないようにしたいものです。

なぜなら、私たちこそ「キリスト教の歴史」の最先端に位置している存在だからです。

歴史を生み出す張本人です。その自覚と理解を持って、これからの時代を共に歩んでいきましょう。

（とりあえず、暫定的な「完」）

あとがき

二〇一二年、『アメリカ福音派の歴史』を上梓しました。その時のあとがきは「初めて連れて行ってもらった映画は『スターウォーズ』だった」という書き出しでした。

ご存知のように、スターウォーズシリーズは、二〇一五年から二〇一九年にかけてディズニー配給で新三部作（Sequel）が作られました。作品の出来には賛否ありますが、それでもスカイウォーカー家のその後の物語が加えられたことで、多くのファンは熱狂しました。「生きててよかった！」と口々に言い合ったことも記憶に新しいことです。

本書の原稿は、パソコンの中に眠り続けていました。もう二度と形にならないのでは？と思わされたこともありました。しかし、ここまで引っ張って一つ良かったことがあります。それは、二十年前には絶対に書けなかったキリスト教史のトピックスを、新たに追加することができたことです。例えば「米国初の黒人大統領の誕生」は、まさに今だからこそ「歴史化」できました。スターウォーズシリーズと同様、私は「生きててよかった」と思っています。オバマ氏からトランプ氏にかけてのアメリカ情勢には賛否あるでしょうが、何よりも、二千年前から始まったキリスト教がしぶとく存続し、異なる色合いで輝き続けていることだけは事実です。

本書は、誰でも読み通せるような「筋」をしっかりと維持させせました。「キリスト教と

あとがき

は何か?」「なぜ世界三大宗教の一角を二千年間も担い続けてきたのか?」これらの問いに、ストライクゾーンを外さない程度に回答をしたつもりです。教会で学ぶ「キリスト教史」として、また、大学で学ぼうとする方の「はじめの一歩」として、本書が役立ってくれたら、存外の幸せです。

最後になりましたが、本書の挿絵について触れないわけにはいきません。二十年前、本書にイラストを寄稿して下さった方がいます。山口(旧姓・堀田)祐子さんです。当時、出版を前提にイラストを寄稿していただきました。その時の約束を今果たすことができてほっとしています。また、最終章では、息子の矢真闘(やまと)にイラストをお願いしました。本の構想が生まれた時にはまだこの世に存在していなかった彼が、忙しい時間を割いて数点の挿絵を描き下してくれました。父親として本当に嬉しい限りです。

多くの方々の手を通して、本書は生まれました。関わってくださったすべての方に、心から感謝申し上げます。特に、私のような者を目に留め、グレース宣教会に導いてくださった堀内顕牧師(二〇二〇年十二月召天)には、感謝しても感謝し尽くすことはできません。唯一の心残りは、先生が存命中に形にできなかったことです。しかしおそらく先生は「気にするな。福音のためにどんどんやれ!」と叱咤激励してくださることでしょう。

五三歳の誕生日を迎える前夜に、愛する妻マナに感謝を込めて。

青木　保憲

【プロフィール】

青木保憲（あおきやすのり）

1968年愛知県生まれ。愛知教育大学教育学研究科を経て小学校教員となる。1998年、京都大学大学院教育学研究科、同時に愛媛県松山市のアンデレ宣教神学院へ進む。
2005年、同志社大学神学研究科へ進み、2011年に博士（神学）号学位修得。専攻はアメリカ宗教史（アメリカ福音派研究）。
2021年現在、八尾市にあるグレース宣教会牧師。その傍ら、嘱託講師として同志社大学でも教鞭を執る。著書として『アメリカ福音派の歴史　聖書信仰にみるアメリカ人のアイデンティティ』（明石書店　2012年）がある。生きがいは映画。そして「自称」クリスチャン映画評論家。将来の夢は、自分の原作がハリウッドで映画化されること。

●連絡先：safuyama@yahoo.co.jp

＊校正協力者…松川来未さん、中村美月さん
（2021年度「建学の精神とキリスト教」受講者）

読むだけでわかる キリスト教の歴史

2021年10月6日（実母と義父が生を受けた日）　初版発行
2021年10月15日　第二刷発行

著　者　青木保憲
発行者　穂森宏之
編集協力　高井　透
発行所　イーグレープ
〒277-0921　千葉県柏市大津ヶ丘4-5-27-305
TEL: 04-7170-1601　FAX: 04-7170-1602
E-mail　p@e-grape.co.jp
ホームページ　http://www.e-grape.co.jp

乱丁・落丁本はお取り替えいたします。

ISBN 978-4-909170-30-9